JN060209

意味と時間

人生は夢か――

根津康彦
NEZU Yasuhiko

文芸社

「存在するとはいかなることか」「存在の意味とは何か」……。

このような問いに答えなどありません。

哲学するということは、存在や意味に対して思考を解放し、思考の旅を続けることです。この旅をする人が、この世界に何人いるかは知りません、たぶん極めて少数だと思いますが、私もその一人です。

世界が意味と無意味の間で根底から揺らいでいる今、存在とその意味について根源から考えること、そしてその思考自体を形（哲学書）にすることは、無益なことではないと思います。

なぜなら、「考える力」こそが今の我々に最も必要な生きる力だと思うからです。

目次

第一章　存在と無　8
人生の意味と存在の意味　8
存在の意味とは何か……。
　すべてはこの疑問から始まる　9
意味（存在の意味）は、
　どこにあるのか……　12
丸い石という物自体　16
「あること」と「成ること」　17
「あるものはある」
　同一律（内的因果律）　20
「あらぬもの（空虚）がある」　22
形相と本質　25
超越から内在へ　27
なぜ無ではなく、
　何事かを経験するのか　32
運動と空間　33
物体と限定空間　35
第二章　時間とは何か　38
運動と時間
（過去への運動は実在しない）　38
時間の意味と実在性　43
今と瞬間　45
存在と統覚　46
意味はどこから来るのか　47
マクダガードの時間論　48

未来と現在の間に因果関係はない 51
今はない出来事は
　過去へと行ったのか…… 53
現象と現実 58
多様な表象と一現 60

第三章　絶対的現象はあるか…… 63

感覚と身体記憶 63
非人称的自己感覚 66
脳は意味を作る器官ではない 67
視覚と印象 72
光という物の世界に色はない 78
現象か実在か 79
存在の奥行と知覚 81
純粋知覚と本質知覚 85
見えない領域と思考 86
構想と物のイメージ 89
存在の要素 95
理想と現実（物自体と現象） 97
物体は空間の幻影か…… 100
変化と時間 107
差異と変化 110
知覚の変化 114
記憶と知覚 115
現象と意識の行方 117
時・空間の差異（根源的な差異） 119
量と質感 120

第四章　存在を問う存在者／真の問われるべき者　124

存在を問う者　124
私とは何か……　128
私はどこから来たのか　133
何物でもなく何者にも成りえない　133
思考の自由　135
この世界に私は実在しない　137
人生は夢か……　140
他者問題　孤独の根拠　141
記憶の位相差　142
なぜいつも「今」なのか、そして客観的に実在しないのか……　145
独我論（独在論）　146

第五章　存在から生成へ　148

死と時間　148
死の根本問題　154
死と歴史の終わり　155
人生の根本問題　157
同一性と自己意識　161
時間のパラダイム変換と死後の文脈からの解放　166
永遠回帰、何が再来するのか　168
生成に刻まれた存在性格　170
存在から生成へ　172
旅は続く　それが人生だ　174
あとがき　176
参考文献　178

意味と時間

——存在の意味とは何か
なぜ、存在に意味があるのか……

第一章　存在と無

人生の意味と存在の意味

「人生の意味とは何か……」という問題は、「哲学する動物」である我々人間に突きつけられた、答えることが困難な余りにも人間的な問題だといえる。この問題は普遍的で個別的な問題である。なぜならここで言う「人生」とは、相対化できず、各人にとって等しい人生ではないからであり、この私が「人生（私の人生）の意味とは何か……」と考えることでしか、この問題自体が「意味のある問い」となることはない。それゆえ、「人生の意味とは何か……」という問題は、我々一人、一人に突きつけられた問題であると同時に、人間全体へと開放された問題でもある。したがって「人生」を社会という小枠の内に位置づけるならば、人生の意味とは社会的な目標、目的として社会から与えられることになる。しかし、「人生」を生と死の大枠の内に位置づければ社会的目標、目的のすべては「生きるための手段」となる。なぜなら「人生」と「私の死」を切り離して考えることができないからである。それでは「人生」を社会の枠を超えた「世界（宇宙）」という大枠の内に位置づければどうであろうか。この場合実在世界を超えた世界の大枠といったものは実在しないがゆえに、「世界にあることの意味」がどこからくるのかが問題となる。「世界があることそれ自体」を意味づける、いかなる超越的世界もない。しかし物体が水や岩石としてあるというときの、水や岩石が世界にあることの意味であるならば、意味は物質世界の構造や運動から作り出されたのであろうか……。

「世界にあることの意味」が神から与えられたと考えることも、別次元にある超越的世界から与えられると考えることも、また物質の運動エネルギーによって作り出されると考えることも不合理である。「意味とは物質ではない」物質である脳にも「意味を作る場」などない。

存在の意味とは何か……。すべてはこの疑問から始まる

ヘラクレイトスの言う「万物流転」とは、あらゆる物質は運動する物質として、変化と差異

化のプロセスの内にあるということを簡明に表現した言葉である。運動する物質の、その運動自体が、変化と差異化のプロセスの構成要素である。それゆえ物体は、数秒前と形状がまったく同一であっても、その内部は分子、原子レベルにおいて絶えず変化している。それゆえ変化と差異化のプロセスの内にある物体は「同じ物であって、同じ物ではない」のである。

物理学は物体の構成要素である「それ自体として運動する究極物質」を原子、電子、陽子、中性子と追及していき、さまざまな素粒子を発見した。物体はこれらの構成要素の集合体であり、物体と物体の差異とは、構成要素の結合力、結合量の差異なのである。「量的差異」とは集合と離散を繰り返す、要素間の目的（意味）なき運動によって生起する。物体とはカオスを制する力の上に生起する実体だといえる。しかし物体は絶えざる変化（差異化）の内にあり、カオスを制する力は無限ではないがゆえに、物の実体はカオスの内に消滅し、そしてまたカオスの上に現れる。物質存在は、この生成と消滅を永遠に繰り返すのである。

物理学はそれ以上還元できない物質の構成要素を追求した結果、素粒子というそれ自体で運動する究極物質を発見した。この発見は我々の視覚、触覚を超えた、「見えない物」の発見だといえる。そこにある物体とは、極小の構成要素である「見えない物」の集合体なのである。この集合体は、結合力、結合量として表される、エネルギーの固有の状態と等価な存在なのである。この意味において結合量、運動量を有する固有のエネルギー体として観測されない存在は、「存在」ではないのである。知覚されるから存在するのではなく、物理学においては「存在するとは、固有の運動量、エネルギー量として観測されること」なのだ。

量子力学は波であり粒子であるという二重の性質を有する光の、粒子を観測しようとすれば波動が観測できず、波動を観測しようとすれば粒子が観測できないという、光の量子的性格を明らかにすることによって、存在の不確定性と観測の限界を明らかにした。その観測事実によって量子力学は「物があるとはいかなることか」という問いを、観測する存在者（観測者）の問題として改めて問い直したといえるのである。そしてさらに重要なことは物質世界を、その構成要素である原子、素粒子の運動として「観測すること」と、その構成要素の集合体を「何物かとして認識すること」との論理的な乖離（断絶）が、観測者の「観測の限界」の問題を通して、「認識の問題」としてより鮮明になったということなのである。

物体の構造を分析し、その分析によって物体の構成要素である原子、電子、素粒子等の存在とその運動が明らかになっても、それらの観測データから、要素の集合体が「何物」（例えば机）であるかを認識することは原理的にできないのである。なぜなら原子や素粒子の運動と、物体を何物かとして認識することとの間には、物理的な因果関係が存在しないからである。ある物質のエネルギー状態の変化を、氷から水へ、そして水から水蒸気への変化として言い表すことは、「その現象の意味が、そのエネルギーによって作り出されたことを意味しない」。物体があることの意味（存在の意味）が、物体の有する運動エネルギーによって作り出され、観測者と無関係に物体自体に意味があると考える、実在論者、唯物論者は、ビッグバンのエネルギーによって「物質」と「存在の意味」が同時に生まれたことを肯定する。しかし、このような不合理な見解を私は否定する。

意味（存在の意味）は、どこにあるのか……

一つの物体を構成するすべての原子についてその構造や運動を細密に分析したとしても、物体が決定論的で物理的（客観的）な性質を有している「こと」と、その物体が何物かとしてある「こと」との間には深い溝がある。物体の運動エネルギーや質量を物理的に観測する「こと」と、物体を何物か（椅子や机）として認識する「こと」は、ことの文脈が異なるがゆえに、二つのことは同一の「こと」ではない。

「物体の物理的で決定論的な構造や運動は、物体が何物かとしてあることの根拠でもなければ原因でもないのである」。重要なことは物それ自体は、自身が何物であるかを知らないし、存在を意識することも原理的にないということである。それゆえ物質世界（実在界）は目的（何物かとしてあること）のない、意味もなく生成した世界なのである。実在世界にあることは無（無意味）においてあることなのだ。

素朴な反映論者は、物質が存在することの意味は、我々の意識から独立した世界に、意識とは無関係にすでに与えられていると主張する。しかしそのように主張すれば、必然的にその主張の根拠を物の運動と実在世界（物質界）の構造に求めなければならない。しかし物が何物（椅子や机）かとしてあることと、物の運動や構造との間にある因果関係は断絶しているのである。なぜなら物の運動や構造は物理的に決定論的であるが、つまり物があることと構成物質の運動は因果関係を有する。しかし物が何物かとしてあることは、「他の何物でもよかったにもかかわらず何物かとしてあること」であるがゆえに、「何物かとしてあること」は、決定論的な因果関係から自由なのである。つまり、その因果関係に従属しないのである。原子や電子の運動が存在に意味を与えるわけではなく、原子の構造は意味や意識を生成するためにあるのでもない。「物体Xは自身が何物であるのかを知らず、存在の意味を自ら意識することもない」。それゆえ、唯物論者の言う物質の「上部」構造においても物体X自体が自らを何物（脳）かとして知ることも、意識することもないのである。物が何物であるかを知りうる「私」は唯物論では捉えられないのである。

存在の意味に関する唯物論を否定しつつ、実在世界は我々の意識と無関係に、意味が与えられていると主張するのであれば、その意味の根拠を実在世界（物質界）の構造ではなく、実在世界の背後にあって実在世界を意味づける「別の世界」（例えばイデア界、神的世界）に求めなければならなくなる。しかしこのような二世界説を取ると、今度は実在世界の背後にある超越的世界が実在する根拠と、二つの世界の因果関係を示さなければならなくなる。このように考えてみると、「実在世界（自然界）は、その出来事の意味を何一つ知りえない」と考えることとは論理的に妥当であり、不合理なことは何もない。それゆえ「物があること」と「無（無意味）があること」は等価なのである。だとするとなぜ私はそこに「無」ではなく、「存在の意味」を見るのだろうか。なぜ物があるそこに、「椅子」が見えるのか……。このことの説明として「物体に反射した光が網膜の受容体を刺激し、その刺激が電気信号に変換されて脳へと伝達される……」等と述べることは、光を受信する網膜と脳との物理的な関係（因果関係）がどのような関係なのかという問いに対する説明であって、「なぜ、物体に反射した光が網膜の受容体を刺激し、その刺激が電気信号へと変換されて脳に伝達されれば、そこに『椅子』が見えるのか……」という問いに対する説明ではない。光に関する脳内の物理的因果と「椅子が見えること」は断続している。

光が網膜の受容体を刺激し、その刺激が電気信号へと変換されて脳に伝達されることによって、「脳がそこに椅子を見るのだ」と果たして言えるだろうか。脳もまた脂肪やタンパク質といった物質によって構成されている。たとえ脳が、脳の中枢細胞に伝達された電気信号を一定の時間保存する記憶物質だとしても、その保存情報は、あくまでも電気信号へと変換された、物体に反射した光という物質の情報である。光の情報には光を反射する物の情報も同時に存在するが、その情報から「存在の意味」を読み取ることなどできない。脳へと伝達される光の情報（電気信号）と、私が椅子を見ることとの間には「知覚の因果説」が成立していないのである。物を何物かの現れとして見るときの、その「現れの本質（意味）」は物体Xに反射する光という物質の運動によって創り出されるものではない。この意味において「脳が椅子を見る」という事態は成立しないのである。

脳はそのすべてが今現在にある物質によって構成されている。実在世界の視覚への現象は、脳が実在世界を現す外的要素（光）と同調することで光が可視光となることに基づく。変換された電気信号とは同調量であり、同調する脳それ自体の運動量である。しかし脳の運動によって量が意味（本質）へと変換されることなどない。記憶物質である脳は、物体Xに反射した光（外的要素）が網膜の受容体を刺激するときの、その同調量を保存する。保存（記憶）するのはあくまでも量（同調量、反復量）である。この量の現れの過程とは「光の束」の現れる過程であり、「何物」かが現れる過程ではない。

「物があること」の文脈から、「何物かがあること」の文脈を想定することはできない。物体の構成要素である原子や素粒子は、自らの運動の意味も目的も知らない。

原子、電子、素粒子といった物とは何か、それは自然界の根源に、その「物自体」としてあるものではなく、意味付与された「物質X」である。この意味において、「自然界は原子や電子や素粒子が実在しなくてもある世界」なのである。何物（原子、分子、素粒子……）もなくても、世界はある。世界が無から始まったというよりも、自然界（物質世界）は最初の事象から無においてある。つまり世界は、「存在の意味を持たずに存在する世界」なのである。物質は無（無意味）においてある。そしてこの私が単なる物質の塊であるならば、私が存在することにも意味がない。しかし私は単なる物質の塊などではない。自己が何物かを知らない物体と異なり、私はそこに何者かを見る存在者である。

丸い石という物自体

私に「丸い石」が見えるのは、意識と無関係に実在する物（丸い石）が私の意識に反映したからではない。つまり丸い石として実在する物が光の反射によって客観的に現れたわけではない。我々がそこに「丸い石」を見る（認識する）ことができるのは、カントによれば現存在である私が、意識する世界に物の本質を認識する因果法則（内的因果律）を導入したからである。それゆえ我々にとって真に実在する世界とは「内的因果を有する世界」なのである。外的因果を有する世界は実在してても、その因果律に基づく現れには、いかなる意味（存在の意味）もない、私にとって実在しない世界なのである。

私が紙上に描く「円」とは、物質世界ではなく「概念世界」との関係（内的因果）によって紙上空間に現れる、円という物自体の現象である。それゆえ現象に対する認識は、「普遍的認識」なのである。円という物自体は円が描かれる紙上空間に現象する。それゆえ円という物自体の現象とは、内的因果に基づく時間（円を描く時間）の空間化なのである。

「あること」と「成ること」

物があることの文脈において、世界の根底にある「根源的なもの」を、思弁的に探究しようする試みは、古代ギリシャの哲学者たちによって開始されたといえる。

アナクシマンドロスは永遠不滅な存在と生成消滅する存在との間にある連続的関係を物質の

運動の内に見出した。アナクシマンドロスは、世界の根源にある究極の実在を「無限定なもの」だと考えた。アナクシマンドロスによれば、この「無限定なもの」とは不死不滅なものとして永遠に自己運動する、それ以上分割できない物質であり、「無限定なもの」の対立物は物質間の闘争（集合離散）によって絶えず生み出され、そしてその闘争から「形ある万物」が生まれるのである。それゆえ形ある物は、集合離散を繰り返す世界の必然的因果律に従って、その永続性を奪われ形を失い、根源（無限定なもの）へと回帰するのである。アナクシマンドロスによれば闘争（戦争）は必然であり、不可避なものなのである。

アナクシマンドロスの言う「無限定なもの」とは、それ以上分割できない静止した単なる物質ではなく、運動と不可分離な「運動する物質」である。物質はこの運動ゆえに集合離散を繰り返すのである。生成消滅するものは、この運動によって物質に与えられた形質であり、永遠にして不滅なものとは「形」ではなく、運動する物質自体の集合離散運動である。アナクシマンドロスによれば、この無限定な運動こそが、世界の根底にあっていかなる枠組（形）にも規定されぬ自律的運動であるがゆえに、「形ある物」が消えてもその運動は不滅なのである。この意味において「無限定なもの」とは、何物にも規定されない運動する「物質」であると同時に、それ以上還元できない、物質の「運動」なのである。

無限定な運動とは物質のカオス的運動であり、物の集合離散の原因はそのカオスの内にある。

それゆえ形ある物の生成消滅の原因は特定できない（無限定）。無限定な運動（カオス）が形象の原因であるがゆえに、生成と消滅を繰り返す「万物の流転」は、アナクシマンドロスによれば、そのすべてが偶然（無意味）なのである。形象とは「カオスの顔」だといえる。しかしその形が「現れたことの意味」は、カオスの内にはないのである。

アナクシマンドロスによれば、世界を支配する法則とは、無限定な存在とその対立物が「ある」（形成）と「ない」（無限定）を繰り返す、それ自体が永遠にして不滅の循環運動である。この運動から「～がある」という存在の文脈と、「～になる」という形成の文脈とを一元的に捉えようとした。つまり無限定な「存在」がその対立物に「成る」ことの可能性を「物質の運動」に見出したのである。彼は物質を静的なものとしてではなく、動的なものとして捉えていたがゆえに成る原因を物の運動として明確に捉えることができた。しかし「あること」と「成ること」との連続的関係を空間と時間との関係において現象的に捉える観点が明確ではなかった。

彼にとって「成る」とは運動する物質の集合離散の延長上にある唯物論的な意味における「形成」なのである。それゆえ、あらゆる事象は絶えざる対立と闘争の果てに、無限定なものへと回帰するのである。他の事象と対立するあらゆる事象は、「無限定なもの」との対立物として、その対立によって消滅する。

アナクシマンドロスの法則を要約すれば、「形あるものは、形なき物へと回帰する」である。

「あるものはある」同一律（内的因果律）

パルメニデスは「〜がある」という唯一の文脈から世界を一元的に理解しようとした哲学者である。パルメニデスによれば「〜がある」という文脈から得られる真の命題は、「在るものはある」「あらぬものはあらぬ」という命題である。それゆえ「〜がある」という文脈においては有だけがあって非有（無）はなく、存在だけがあって非在、不在はない。非在（ない）から存在（ある）が生じることがないがゆえに、「存在」は常に同一にして同質な唯一不動の「一なるもの」なのである。したがってこの「一なるもの」が運動することはない。この意味においてパルメニデスは、アナクシマンドロスの生成消滅説を否定したといえるのである。

パルメニデスが問題としたのは、物体の動的実体を探究することではなく、存在の論理の追求と確立であった。それゆえパルメニデスは「在るものはあり、あらぬものはあらぬ」という存在の命題に従って、「〜がある」と思惟することと「現にあること」は同一のことでなければならないと考え、ロゴス（言葉）と存在との同一律（在るというロゴスと実在は同一である）を、内的因果律として規定したのである。「ある」の文脈に限定したこの同一律ゆえに、「あらぬもの」（非存在）は思惟されないのである。重要なことは、この同一律が「成ること」「生じること」をいっさい排除する論理だということである。この論理によれば、存在が思惟されない非存在から生じると考えることは不合理である。存在は不動にして同一同質のものであるがゆえに、同一律の原理に従えば存在が生成することはないのである。パルメニデスによれば、存在は非存在の介入を許さない不分割にして不動の一者なのである。この「不分割にして不動の一者」こそが同一律から導かれる、パルメニデスの言う「存在」の正体なのである。この意味において、不動・不分割の一者があることとは、成ること、生じることに必要な時間とも、分割によって生じる空間とも無関係なことなのである。つまり、一なる存在はそれらの非存在（時間・空間）と無関係に「ある」存在者なのである。それゆえパルメニデスによれば、運動は虚偽であり、生成消滅は幻想なのだ。不動にして不分割の一者だけがあり、世界の真の姿は不変不動、不成不滅の巨大な球なのである。

世界が巨大な球であるかどうかは問題ではない。重要なことは、物質の運動（外的因果律）から存在と世界の有り方を追究しようとしたアナクシマンドロスに代表される哲学者たちに対し、パルメニデスが「在るものはあり、あらぬものはあらぬ」という存在の命題と現にあることと（実在）との存在論的関係性を、同一律という内的因果律として規定しようとしたという点で画期的であったといえることである。

パルメニデスは「物質」も「存在」も、無限定なものXへの思惟の内に「ある」、ロゴスであるということを理解していた。パルメニデスは最も平明で確実な存在の命題（ロゴス）、「在るものはあり、あらぬものはあらぬ」の内に、「在ること」の意味を確立しようとしたのである。

パルメニデスは同一律（内的因果律）を「在ること」に限定し、「あらぬもの」への思惟は不合理で無効とした。それゆえ、「氷が溶けて水であらぬものである水になる」という現象は、パルメニデスが考える同一律によって規定することができない。「氷が溶けて水になる」ということは、「あらぬものが成る」ということであり、この現象は、「在るものがある」の文脈（内的因果律）だけから説明することができないのである。

「あらぬもの（空虚）がある」

アナクシマンドロスの「運動する物質」という、物質の様相に対する基本的な考え方を受け継いだデモクリトスは、生成消滅説を否定したパルメニデスに対し「空虚」と「アトム」という概念を用いて反駁した。デモクリトスは究極物質であるアトム（原子）が空虚においてあると考えたのである。デモクリトスはアトムの運動の根拠を「空虚においてある」ことに求めることで、パルメニデスが不動の静止状態にあるとした物質世界全体が空虚においてあると考えた。デモクリトスが導入した「空虚」という概念は「空間」という概念の先駆的概念だったといえる。つまり「アトムが空虚においてある」ということと、「アトムが空間においてある」こととは等価なのである。

デモクリトスは空虚（空間）という概念を導入することで、パルメニデスの「あらぬものはあらぬ」という命題に対し、「あらぬものがある」ことの根拠を示したのである。

カントの言うアプリオリ（先験的）な空間は、物質と無関係でも「ある」。知覚や経験を超越した純粋な感性の形式（直感）として理性に備わっている。この空間と対応する「空間化された時間」とは、例えば円を想い描く「時」であり、したがってその円には空間の経験的現実性（限定空間）がない。物体の延長、広がりとはアプリオリな空間の経験的現実性である「限定空間」との関係において現象するものなのである。この意味においてデモクリトスがアトムの運動を論理的に説明するために導入した「空虚」という概念は、物質の延長と運動を「空間」との関係において捉える上での、先駆的な概念だったといえるのである。

デモクリトスは「空虚」という概念を用いることで「運動の場」というものを考えることができたのであり、アナクシマンドロスがその根拠を十分に示すことができなかった万物の生成消滅を、空虚において運動する諸原子の集合離散として説明することができたのである。デモクリトスは機械的原子論の立場から原子（アトム）の運動を捉え、そしてこの運動は「諸原子の集合離散の状態以外のものと、いかなる因果関係も有しない」と、機械的原子論の立場から考えた。デモクリトスによれば諸原子が空虚においていかに動こうと、その動きは「アトムの集合離散による物理的な状態を示すだけで、その運動自体には存在の意味（椅子や机）を創造する意志も目的もない」のである。つまり機械的で偶然的な運動であって、その運動と「存在の意味」の間には因果関係などないのである。デモクリトスにとって空虚における運動の変化とは、あくまでも集合離散に基づく物の量的変化（差異）であって、世界にはこの量的変化以外の変化はないのである。

デモクリトスはアトムの運動があるためには空虚があらねばならないと考え、パルメニデスの「あらぬものはあらぬ」という命題に反駁したが、一方で「空虚」をアトム同様に根源的に在るものと考えたがゆえに、「在るものがある」という命題はそのまま肯定した。デモクリトスはパルメニデス同様に、「在るものが（何物かに）成る」ことの可能性を否定した。

デモクリトスにとって、アトムの集合離散に基づく存在の無意味な形成消滅だけが、世界に実在する変化であるがゆえに、この変化に従って生きるということは、デモクリトスにとって「無為自然の境地を生きる」ことであった。それゆえデモクリトスは人為的なものは無為自然に反するがゆえに実在するものと認めず、道徳や信仰や神等は自然に反するものとして否定し、人為的な精神的権威なるものをいっさい認めなかった。また死の恐怖も人為的な作り事であり、死の真実とは原子結合体の分離解体に過ぎないと考えた。デモクリトスにとって「あるがままにある」ことは自然なことであり、「在ること」から他の在ること（分離解体）への変化もまた自然なことであった。機械的原子論の立場から「無為自然」を尊重したデモクリトスにとって、不死、永遠の魂、神その他の精神的で超自然的なもののいっさいは、不自然なものであり、自然の文脈から逸脱した幻であり虚偽であった。「無為自然」の主張とは、世界に意味などなく、精神は虚偽であると言うことであり、それゆえ人生は無（自然）とともにあるという「唯物の真理」なのである。

形相と本質

デモクリトスなら言うだろう、「我々がそこに見る椅子や机とは、自然界から逸脱した物の幻であり、虚偽の物体である」と。しかしプラトンはそうは考えなかった。プラトンによればそこに見える椅子や机とは「物の幻」ではなく、物の本質（形相）なのである。そしてこの本質は物の世界自体がロゴスと無関係に有するものではなく、ロゴスと一体である我々の精神が物の世界を支配しているがゆえに見る「物の本質（形相）」なのである。プラトンによれば、本質（形相）は「物の世界」に対して超越的であり、感性界とは別次元のイデア界にある。我々がそこに見る個物としての椅子や机は、イデア界にある「椅子のイデア」「机のイデア」を分有して、感性界に個物として現れたものなのである。しかし個物を何物かの個物として捉える我々はイデア界ではなく、感性界に生きる者である。なぜ感性界にある私に、物の形相であるイデアが見えるのか……。

プラトンのイデア想起説によれば、存在に先立つ我々の魂は生前にはイデア界にあって、物の本質（椅子のイデア、机のイデア）に触れ、それを純粋に経験していたのであるが、我々が質料（身体）を有する存在として感性界に生まれると、我々は生前のイデア界での経験（本質経験）のすべてを忘却するのだ。プラトンによれば、我々が感性界に存在するものを椅子や机という物の現れとして認識できるのは、生前のイデア界での経験を、感性界において思い起こす（想起）からなのである。しかし我々は、イデア界での経験を想起を通して再現することはできない。プラトンによれば感性界において我々が見る個物としての椅子や机は、イデアの影のようなものなのである。プラトンの言うイデア界が感性界とは別次元にある超越的世界であるならば、想起の限界とはその二世界説（二元論）に根拠がある。ここで重要なことは想起と認識との関係である。我々の想起能力は感性界にある。それゆえ想起が感性界を超えた、感性界とは別世界の経験を想起することなど原理的に不可能である。

現に何らかの経験が想起されるならば、その想起された記憶は、同一の世界（感性界）における経験的記憶でなければならない。想起とは感性界を生きる我々が現に有する、内的時間的能力である。プラトンのイデア想起説における貴重な洞察とは、「我々が物の本質（存在の意味）を認識しえるのは、主観の時間的能力である、想起を通じてである」ということであった。しかしその認識が想起を通じて現に成立するためには、認識の原因（内的因果）である記憶は、想起する今現在の場である感性界での経験的記憶でなければならない。つまり、記憶と想起、想起と認識との内的時間的関係は想起する「今」において現に成立する、「一つの世界」の現在と過去の自己関係性なのである。

超越から内在へ

プラトンのイデア想起説に対するアリストテレスの批判は、イデア想起説では存在の本質開示の原因が感性界になくイデア界にあるがゆえに、存在と本質（形相）が感性界とイデア界に二元論的に分断されるということであった。アリストテレスは、プラトンの「形相」という概念を重要な概念として受け継いだ。しかし、形相を質料に対して超越的なものと考えなかったがゆえに、プラトンのイデア界およびイデア想起説を受け継ぐことなく、それを否定したのである。

アリストテレスの考える「形相」とは、プラトンが考えたような超越的なものではなく、感性界に内在するものである。アリストテレスが考える「形相」とは、質料の「形成」と不可分離なものである。両者の統合は同一律の原理に基づき、形成の場とは何物かに成る、「存在の存在開示」の場なのである。アリストテレスは形相を超越的ではなく、内在的に捉えようとしたがゆえに、「形相」に形成の目的と存在開示という二重の意味を与えたのである。

質料の形成が、物質世界の運動に属するだけならば、その形成自体は形に意味を与える内的因果ではない。アリストテレスは形相を質料の形成に内在する目的と考えることで、形と形相を感性界の内的因果律において一元化した。つまり「形と形相の同一律」こそが、一元化の根拠なのである。

アリストテレスによれば、「在ること」に形を与える質料の運動は、無意味で偶然的な運動などではなく、何物かに成ろうとする目的を有する、必然的な運動なのである。

アリストテレスは「在ること」を、可能的に在ること（可能態）と現実に在ること（現実態）

とに区別した。可能態とは形成を可能にする質料であり、この質料自体何物でもない。つまり存在ではない。存在とは何か、アリストテレスが定義する「存在」とは、質料と形相を有する椅子や机といった「何物かの現実態」なのである。現実態とは質料と形相を同時に有する何物かの個物であり、この個物は質料を有することで普遍的形相を分有する「存在」なのである。

それゆえ形相なき質料は非現実態であって存在ではなく、質料なき形相もまた夢の中の椅子や机のような「存在の幻」であり、非現実態であって存在ではないのである。

アリストテレスは感性界の運動の内に「形相因」が運動の「目的因」として内在すると考えることで、質料が存在（現実態）に成ることの一元論的な道を開いた。つまりプラトンのイデアを感性界に統合したのである。しかしこの統合はあくまでも同一律（内的因果）に基づく統合であって、物質世界の外的因果に基づく統合ではない。内在とは存在を知覚する感性界における内在であって、知覚する者（構想する者）と無関係に物質世界に内在（実在）することではない。何物かとして知覚されない物は、アリストテレスの言う存在ではない。しかし何物かとして知覚されない「物」は無の現実態として実在する。同一律（内的因果）とは、無（実在）と有（形相）の統合である。目的因も形相因も、自然界（物質世界）に実在するものではない。それゆえ、アリストテレスの「質料・形相」論においても、形相は質料よりも、優位なものなのである。

＊　＊　＊

アリストテレスは、家を建てるには質料因、動力因、目的因、形相因の四因が必要だと主張する。つまり家を建てたいという目的（目的因）に従って現に建てるべき家を設計し（形相因）、家を建てるのに必要な資材（質料因）を用いて家を組み立てる（動力因）のである。ここで重要なことは、ここで言う動力因とは身体に基づく「行為」という名の特別な「動力因」だということである。アリストテレスによれば、木という質料の内には木に成るための目的因、形相因、動力因以外のものは内在しない。木という質料は木にしか成らないがゆえに、その形成過程の内には家という目的因も形相因も内在しないのである。

行為が身体の特別な動力因であるのは、その動力因（行為）が建てるべき家（形相）を構想する精神に従い、木材に内在する動力因を規定するからである。行為という特別な動力因は、構想された形相を目的とするがゆえに、行為は構想する精神に従う。この意味において、構想する「私」、あるいは「私の心」とは、身体という特別な質料の「形相」だといえるのである。

プラトンのイデア論に対するアリストテレスの批判は、身心二元論に対する批判であった。アリストテレスは身心の関係を「質料と形相」の関係として一元的に捉えることで、現実態としての人間存在の在り方を規定しようとしたのである。アリストテレスが身体の形相である私および私の心の多様性と差異を肯定するのは、この「私」と「他の私」の差異を、この身体とあの身体の形相の差異として捉えていたからである。アリストテレスが身体を特別な質料として重要視したのは、構想し思考する私という特別な形相が個物、現実態としてあるためには、私という形相の「対原理」である身体という特別な質料が必要不可欠だからである。

椅子や机がそこにある場とは、「質料の形」がある場として物質世界に属すると同時に、ロゴス（理性）の秩序に属するといえる。つまり、何物か（椅子や机）がある場とは、「形と形相」の同一律に基づく「存在の存在開示」の場なのであり、椅子や机の個物とは存在開示された現実態なのである。ここで重要なことは、思考し構想する存在である「私」とは、ロゴス（理性）の秩序に属するということであり、そしてこの私の現実態を規定する身体は、物の世界を感じる私と不可分離な特別な質料、として、物質世界の秩序に属しているということである。

アリストテレスの「質料・形相」の理論から導かれる、特別な質料としての身体なくして、この私が現実態として感性界にあることも、物の世界を感じ、観測することもできないのである。

なぜ無ではなく、何事かを経験するのか

いかなる物質も自己が何物であるかをいっさい知らない。物質が知らないことを、なぜこの私が知りうるのか……。この問題を解く鍵となるのが身体である。身体はカントの言う感性の形式として観測者の領域に属すると同時に、物質として観測される物の領域に属している。特別な質料である身体が物質の秩序に属しているという、物質界と身体との関係は、観測以前の根源的な関係である。感性界における物の実在性は、物と身体との関係に基づいている。つまり、「物質世界が実在するといえるためには、私の現実態を可能にする身体が観測と構想以前に、すでに物の秩序に属していなければならない」のである。身体が物の秩序に属しているからこそ、感性の形式である身体は物質世界と「同調」し、そして物質世界を触覚、視覚、聴覚として感じるのである。

感覚の所与とは、「同調」によって触発される「概念の感性化」の直感である。同調する外界はこの直観を触発するだけであり、感覚の所与（熱さ、痛さ……）が外界に客観的にあるわけではない。

感性の形式としての身体と外界との純粋な同調においては、無においてある物が単に感じら

れるだけである。視覚における光との同調、そして触覚面における物の運動との同調だけでは、何物も見えず何物にも触れることができない。何物かに触れ何物かを見るためには、無を有において規定する必要がある。

つまり、有（概念）が持続する内的時間（記憶）において外的時間（同調）が規定（概念の感性化）されなければならないのである。

同調の時とは、感覚に純粋に応答する物の状態を保持する時であり、この意味において同調とは身体記憶である。経験可能な世界とは、原理的に「身体と同調可能な世界」であるが、しかし「同調」は、感性の形式である身体が、実在世界（物質世界）に純粋に参入する形式であって、その形式（同調）だけで何かが経験されるわけではないのである。

運動と空間

空間は「物体の運動」の時間的変化を「定点Aから定点Bへの変化」として記述することを可能にする、運動と不可分離な概念である。運動の場は、空間概念との同一律によって「虚」から「実」となるのであり、物体が空間上を移動（運動）すると規定されることで、その変化が空間化された時間となるのである。

　物体Tが空間上のA点からB点へと移動するとき、物体Tの移動経過を表す線分ABとは、物体Tの移動距離を表す。物体Tがその距離（AB間）を移動するのに要した時間とは、それゆえ空間化された時間なのである。それだけではない、A点とはB点へと移動した物体Tが、「移動前にいた場所」であり、B点とは物体Tが現にある場である。A点は物体TがあるB点から見れば、物体Tがいた「過去の場」であり、そしてB点はB点から見れば、物体Tが現にある「今現在の場」である。この線分ABに先行するC点を「運動の未来」だと考えれば、A点を過去、B点を現在、C点を未来とする、空間化された時間である「線形時間」が成立するのである。この線形時間軸においては未来・現在・過去が等しく実在的かつ決定論的だと考えられているがゆえに、経験する出来事は未来の視点から見れば、過去の出来事であり、過去の視点から見れば未来の出来事であり、そして現在の視点から見れば今現在の出来事である。しかし一つの出来事が現在であり過去であり未来であることは矛盾したことではないのか……。私が過去の視点や未来の視点に果たして立てるのか……。

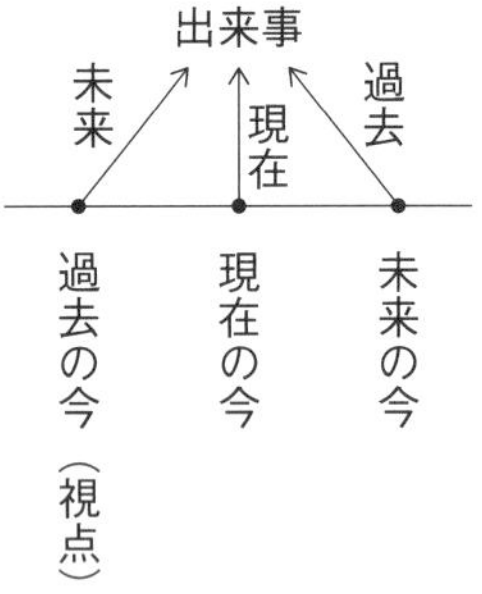

出来事
過去
現在
未来
未来の今
現在の今
過去の今（視点）

物体と限定空間

「物体がある」ということを空間との関係において捉えるならば、「物体がある」ということは空間の限定を意味する。全体空間と「限定空間」は物があることで差異化される。つまり、物があるということは、「全体空間」自体と「限定空間」との、差異と同一性においてあるということなのである。空間を存在において限定する物体を、空間を限定する延長量と考えるならば、物体の延長がどんなに微小、微量なものだとしても、存在の延長があるならば空間の限定は実在するといえる。物体の延長量を測定することは、存在に基づく限定空間を測定することと等価である。そして物体の存在によって限定空間があるということは、その物体が空間において特定の位置を有するということである。それゆえ物体間の距離を測定するときの、その距離もまた「空間の限定」を意味するのである。重要なことは、我々が物体間の距離や物体自体の延長を通して、空間を「限定空間」として経験するということである。この意味において「空間の経験的現実性」は身体と物体があることと切り離して考えることができないのである。しかしそれでは、「限定空間」として差異化され限定空間と同一的関係にある空間自体（全体空間）の経験的現実性はどうなるのであろうか……。この疑問に対する答えもまた「限定空間」と「空間自体（全体空間）」との差異と同一性の関係の内にあるといえる。ここで言う「全的な空間」自体は「限定空間」の総和と等価ではなく、総和を超えたそれ以上の広がりを有する、無限定な空間である。延長、距離として経験される空間とは、空間自体の限定を意味するがゆえに、限定空間とは物体、身体があることで延長、距離として現象する、空間自体の現象の形式なのである。空間自体と限定空間を切り離された二つの空間だと考えるとき、空間自体は経験されないと誤認するのである。限定空間の総和以上の空間と、その空間から差異化された空間（限定空間）は連続的で同一等価の空間であるがゆえに、延長、距離として現れる限定空間は、空間が経験されるための形式なのである。しかし、全体、無限と対応する空間が、全体、無限自体として経験される形式は存在しないのである。

カントの言うアプリオリな空間（先験的空間）とは、限定空間として経験されるが、それを超えて全的に経験する形式を有しないという意味での「超越的空間概念」である。空間は延長、広がり、距離という限定空間として現象する形式を有するが、限定の形式を超えて全的に現れる経験的形式はない。それゆえ我々は「空間」を経験的形式を有しない空間自体として、アプリオリ（先験的）な形式において直観すると同時に、経験的形式において延長、距離として捉えるのである。

物の存在が空間の経験的現実性を開示するということは、物の不在が「不在の場」としての空間の超越性を開示するということである。つまり物が存在する「場」に、空間概念の同一律を適用することで、空間は「不在」の直観と「存在」の認識を同時に開示する「場」となるのである。だからこそ「延長」「距離」「広がり」が物体によって限定される空間の経験的現実性となるのである。存在の場が空間となるということは、存在が幅や奥行を有する物として空間化するということである。

空間が存在の延長として経験される空間に限定されるならば物の運動はなく、物体は限定空間において停止している。しかし現に物質の運動が実在するならば、その運動を保証する限定空間を超越した、不在の場としての空間自体は実在的なものなのである。

重要なのは、カントの言うアプリオリな空間が存在との関係において経験に与えられることなく、直観の形式において理性に与えられ、思いの内に「円自体」「三角形自体」を描くことを可能にすると同時に、それらが現に現象する、「存在の場」と同一律の「空間」であるがゆえに、空間的認識に二重の形式（直観と経験）があるということなのである。

第二章　時間とは何か

運動と時間（過去への運動は実在しない）

世界は静止し、不動であるとして生成消滅説を否定したパルメニデスが投げかけた問題とは、「世界が静止し不動であるならば、世界にはいかなる時間的変化もない」という、運動と時間（変化）の関係なのである。それゆえ、パルメニデスの主張に対して、世界が動的世界であるならば「運動」が実在し、そして変化が実在するということなのである。静止した世界には運動も変化もない。しかし世界が動的世界であるならば、運動する物の変化が実在する。それゆえ動的世界では、物体TがA点からB点への一定の距離を移動するためには、一定の時間を必要とする。物体TのA点からB点への移動とは、空間位置の時間的変化であるがゆえに、変化に必要な「時間」とは「空間化された時間」なのである。

＊　＊　＊

ゼノンは「飛ぶ矢は静止している」という逆説を展開してパルメニデスの不動説を擁護しようとした。ゼノンは物体によって限定される空間を隔絶した非連続的なものと考え、この空間は無限に分割可能な物体と対応する空間点へと還元できると考えた。それゆえ、この非連続的な空間点と対応する時間（空間化された時間）もまた、瞬間的時間へと還元できると考えた。限定空間は物体の延長と等価であるがゆえに、その限定空間が他と隔絶した非連続的な空間点の集合であるならば、延長の長さにかかわらず、物体（矢）は限定空間から他の空間へと移行しない。ゼノンによれば、時間とは非連続な空間点（限定空間）と対応する、空間化された時間である瞬間の集合である。それゆえ限定空間と対応する瞬間は、運動する時間ではなく、静止した時間なのである。したがってA点とB点との距離としてある「連続的な空間」はなく、その距離を移動する「時間」である、連続的な運動時間は実在的な時間ではないのである。それゆえゼノンは言うのである。「飛ぶ矢は静止している」と。

ゼノンの主張は、空間の非連続性という前提に立つ限り、不合理なものではない。しかし、その前提こそが問題だったのである。なぜなら同一性と連続性こそが、空間の本質だからである。物の運動を観測するどの時点も同一で連続した空間と対応関係にある。それゆえ飛ぶ矢の運動は、限定空間の連続的な変化と対応関係にあるのである。ここで重要なことは、物体のA点からB点への運動とは、存在（物体T）の限定空間がA点からB点へと変化することであり、B点にある物体Tの「限定空間」が、A点では物体Tの不在の空間となるということである。そして空間の同一性、連続性ゆえに、不在の空間は物体Tが現にある空間と同一の「現在空間」なのである。

一個の物体はそのすべてが現にある、現在の物質によって構成されている。それゆえ物体の運動エネルギーは「現在空間」において実在するのである。運動エネルギーは物体を現在空間において移動させるのであり、運動エネルギーEが、物体を現在から過去へと移動させることなどありえず、また運動エネルギーEが決定論的に未来に実在することもない。「過去の物質」も「未来の物質」も実在せず、過去への運動も未来から来る運動も実在しない。

矢がA・B間の距離を移動するのに必要な時間Sには、本質的に時制（時間の意味）などない。重要なことは、運動時間が「記憶」という内的時間によって規定されることで、記憶されている運動以前の矢が「過去の矢」という意味を持つということである。物体がAB間の距離を運動する時間Sには時制などないが、B点へと運動する以前の矢が記憶されているとき、矢の運動が過去から現在への時制的変化という、時間の意味を持つのである。時制の変化とは観測者の内的時間（記憶）に基づく意味的変化である。それゆえ、事象の現在から過去への運動も、未来から現在への運動も実在せず、観測されることもない。

二千光年の距離にある恒星の光を観測する場合、観測するその光は二千年前の「過去の光」などではない。なぜなら、観測される光とは現在空間を移動する光という「物質」だからである。観測される物質（光）は、光の速さで二千年かかる距離を移動して、観測する今に現前した光であって、「過去の光」などではない。「過去の物質（光）」など、「未来の物質（光）」と同じく実在せず、それゆえ過去の物質が想起を通じて内的時間軸（記憶）から現れ、経験を再現するということもありえない。

伸縮する形状記憶物質Gが伸長の終着値Aから収縮の初期値Cへの自己回帰運動を、一定の条件下で繰り返したとしても、その伸縮運動はあくまでも、物質がある現在空間における、物質の条件反応的な反復運動である。それゆえ、形状記憶物質Gの終着値Aから初期値Cへの回帰運動は、物質G自体が記憶する、物質Gの過去の姿への自己回帰運動などではないのである。その運動は一定の外的条件に反応する物質の、限定空間の反復であって、その運動があたかも、物質G自体の記憶に基づく運動であるかのように見えるのは、観測者の内的時間（記憶）によって、その運動時間が規定されているからである。物質G自体の運動は記憶（内的時間）とは無関係の運動なのである。物質の現在から過去への運動は実在せず、現物質が「過去の物質」に成ることなどありえないがゆえに、我々が形状記憶物質と呼ぶ物は、現物質の過去を記憶しているわけではない。その運動は一定の条件下で一定の伸縮運動をする、過去とも記憶とも無関係な現在空間での物質の反復運動なのである。

限定空間AからBへの物体の運動を、線形時間軸に位置づけるとき、物体の変化が過去の今から現在の今への時制的変化として語られる。線形時間軸における「今の流れ」の実在性は線形時間を構成する過去、現在、未来が等しく実在的であることに基づいている。「過去の光」は線形時間軸上に現れるのである。

しかし、過去、現在、未来が記憶に基づく「時間（外的時間）の時間（内的時間）規定」によって生じた、「現在の時間順序の時制的意味」であるならば、過去の物質（過去の光）とは実在しない物の幻なのである。

＊　＊　＊

物質が運動する時間とは、我々が生きる内的時間ではない。内的時間とは私の内的経験であり、その記憶・想起である。物質の運動は「存在の意味」の生成と無関係であり、それゆえ物質は自身が何物（椅子や机……）であるかを知らない。「外的時間の内的時間（記憶）規定」において私は物質が知らないことを知るのである。

時間の意味と実在性

現在・過去・未来が等しく実在的であるとする線形時間軸においては、過去と未来が決定論的に実在するがゆえに、私が経験した事象が未来からきた「こと」と、過去にいく「こと」が動かしがたい事実として了解される。線形時間軸における時制の構図をそのまま受け入れるならば、経験する「現在の事象」と経験した「過去の事象」と、経験の事実として現在にはない「未来の事象」が等しく実在的であることになる。したがって、「未来の事象」「現在の事象」「過去の事象」が等しく実在的であるとするならば、未来から現在への「事象の質料的運動」、そして現在から過去への「事象の質料的運動」が現に実在し観測されなければならない。

しかし「過去の光」が物質の幻であったように、「過去の物質」も「未来の物質」も実在しないならば、未来から現在への物質の運動も、現在から過去への物質の運動も実在しないのである。

線形時間軸における時制的運動を、空間移動との類推で捉えるとき、過去のものと成った物質が実在する「過去空間」、あるいはまだ経験しない物がある「未来空間」といった虚構が生じるのである。「タイムマシン」は、この虚構の上に成り立つ虚構の機械である。現存在であるこの私がタイムマシンに搭乗して「未来空間」や「過去空間」(これらの空間があるという想定なくして、タイムマシンは未来にも過去にも行けない)に移動して、「過去の私」や「未来の私」に出会うと考えるならば、タイムマシン的発想の不合理性、虚構性は明確だといえるのである。

私が経験することが決定論的に未来から来るのなら、「未来の私」は私が経験する前に、未来の出来事をすでに経験しているのか……。そして「過去の私」は、私が経験したことを再度、過去において経験するのか……。このように考えても、私がタイムマシンに乗って線形時間軸を移動する構図は、やはり不合理なのである。この不合理性の原因は、空間化された時間である「同一空間での時間順序」の区別を、「現在空間」「過去空間」「未来空間」といった、「別次元の時・空間」の実在的な区別として規定したことにあるといえるのである。しかし、「未来空間」「過去空間」といった「時・空間」が、実在しない幻の「時・空間」であるならば、唯一実在的な「時・空間」とは、唯一の空間化された時間である「現在空間」だということになる。それゆえに、過去・現在・未来の時制とは、実在的な時制ではなく、現在空間における時間順序の、意味的な時制であり、時間概念なのである。

今と瞬間

「今」とは知覚する今であって、物が運動する時間（空間化された外的時間）の切断面である瞬間ではない。そのような瞬間においては、存在が瞬間点へと縮小している。つまり、存在の延長・広がりが瞬間点へと縮小している。

瞬間とは「ある時」ではない「無の時」であるがゆえに、内的時間規定されない。つまり私はそのような「無の時」を記憶することができない。瞬間とは、停止・静止として経験することのできない、無限に分割可能な「空間化された時間」の幻なのである。

瞬間が実在的な時間でないのは、瞬間がそれ自体、内的時間規定（記憶）の対象ではないからである。この意味において、「未来」もまた内的時間規定の対象ではないがゆえに、「瞬間」と同様に実在しない、「時間の幻」なのである。

知覚する「今」が瞬間に対して超越的なのは、「私の記憶」が知覚（概念の感性化）の記憶だからであり、それゆえ知覚する「今」が同時に記憶する「今」であり、想起する「今」だからである。存在が知覚された存在であるということは、存在が「赤い物」や「白く丸い物」として現象した物だということである。それゆえ、知覚する「今」とは、点時刻へと分割できない、現象的な「今」なのである。

存在と統覚

知覚的存在は、色・形・広がりとしてさまざまに意識される「多様な表象」の統覚として、一つの意識に与えられる。カントの言う「多様な表象」が、外界の実在を前提とする表象であるのは、触覚や視覚の作用自体によって、物体の限定空間が形成されるわけではないからである。それゆえ「多様な表象」は空間概念（色・形・広がり・境界）の領域から立ち上がり、「統覚」によって何物か（椅子や机）が超越的に「現象」するのである。「存在が限定空間を規定するがゆえに、存在のその意識への現れは、空間概念の同一律によって、その概念の領域から多様に現象する」。カントによれば、存在の意味（本質）は、統覚が内官（内的時間、経験的記憶）を触覚することで現象する。それゆえ「多様な表象」とは、空間概念の領域から立ち上がる（概念の感性化）、統覚によって現象する「対象」の構成要素なのである。

意味はどこから来るのか

「知覚される物」とは「統覚」によって構成された物Aである。物Aの構成要素（A_1・A_2・A_3……）は空間概念の感性化（同一律）に基づいて、色・面・形・部分・境界……といった多様な表象として同時に継起する。継起とは空間化された時間であり、統覚とは多様な継起の統合である。私の意識においては、この統覚が第一義的であるがゆえに、統覚が内官（内的時間・記憶）を触発することで、椅子や机といった存在の意味（本質）が現象する。この「現象」は「多様な表象」に対して超越的であるが、ここで言う超越性とは外的時間の内的時間規定（経験的記憶）に基づく超越性なのだ。そして「内的時間」とは、記憶という主観的（経験的）時間がこの現在においてあるということである。それゆえ、この現在における何物かの時間的変化が、超越論的時間規定に基づいて、例えば氷が溶けて水になる変化として意味づけられるのである。つまり、存在の意味の変化は、変化以前の経験的記憶と変化した経験との対比に基づき、この現在において超越論的に規定されるのである。したがって存在の意味は、この現在において超越論的に来るのであって、「未来」から来るわけではない。また「記憶」が内的時間として現在にあって、過去にあるわけではないがゆえに、存在の意味は想起を通して過去から与えられるわけでもないのである。

記憶とは私の経験的記憶（知覚の記憶）として現在にある内的時間である。つまり記憶とは過去ではなく、現在にある。それゆえ想起とは、過去を想起することではないのである。

マクダガードの時間論

これまでの時間についての思考は、マクダガードの「時間の非実在論」と深く関連している。マクダガードは出来事に時間順序を付ける方法を二つに区別する。一つはマクダガードがA系列と呼ぶ線形時間系列である。A系列では未来、現在、過去の時制があり、そして今が「時間の矢」のように過去から未来へと移動する。A系列のこの基本的な時間的構図を特定の出来事に適用すれば、一つの出来事Tは「未来にあり」「現在にあり」、そして「過去にある」つまりA系列に「ある」ことが時制的に変化する。この時制的変化に終わりがないとすれば、過去における「ある」が、さらに遠い過去へと不断に移行する。我々が日常よく口にする「明日は市民球場で野球の試合がある」「彼女が今、駅に着いた」「あの事故からきょうで10年だ……」という言葉はA系列に基づく時制的表現なのである。

出来事に時間順序を付ける第二の方法を、マクダガードはB系列と呼ぶ。B系列における出来事の時間順序表記は、「２０２０年5月には出来事Aが、6月には出来事Bが、7月には出来事Cが……」というように、出来事が歴史の年表のように列記される。

A系列時間とB系列時間の異なる点とは、A系列時間には時制があるが、B系列時間には時制がないということである。それゆえB系列において問題となるのが、「今、彼女が駅に着いた」と言い表すことができないということであり、B系列においてはどの出来事が今起きている出来事なのかがわからないということである。出来事が「今起きていること」なのかがわからないB系列において、一つの出来事は、「出来事Xは出来事Aの後であり、出来事Bとは同時であり、出来事Cの前である」というように、配列される他の出来事との関係（差異と同時性）において、その位置が記述されるだけであり、出来事XとBが、同じ２０２０年7月にあったとしても、その同時性から、「今ある出来事」を語り出すことができないのである。

B系列の時間順序は$T_1T_2T_3$……として記述される無時制の時間順序である。それゆえB系列時間において語られる出来事には時制がない。このB系列に対し、A系列時間で語られる出来事には時制がある。それゆえ、一つの出来事Fは、「今現在の出来事F」として語られ、そして「過去の出来事F」としても語られ、また現在に現れる以前の「未来の出来事F」としても語られる。「明日はサッカーの決勝戦だ」「今、試合の最中だ」「昨日の決勝戦は勝てて良かった」。このようにA系列時間では、一つの出来事が異なる時制を有し、そしてどの時制の出来事も等しく実在的なのである。

マクダガードによれば、どの出来事が「今起きている出来事」なのかがわからないB系列時間よりも、「今起きている出来事」を語り出すことができるA系列時間の方が、より根源的な時間なのである。しかしA系列時間にも本質的な問題がある。その問題とは、一つの出来事が過去であり現在であり、未来であるというA系列の本質に関わる、時制の本質的な問題であり、「現在」という時制の持つ特別な経験的現実性の問題である。つまり、現在の経験の現実性を超越して、「明日の野球の試合F」と「今経験している野球の試合F」と「きのうの野球の試合F」が、同等の経験的現実性を有することはない。重要なことは、未来の出来事の「未だ何事も経験しない現実」、そして過去の出来事の「再経験できない現実」が同時に現在にあるということである。それゆえ現在は、過去や未来に対して経験的に優位なのである。

無時制のB系列では、どの出来事が今現在の出来事なのか原理的にわからない。したがってB系列時間は「時間」としての要件を満たしていない。しかしその要件を満たすためにB系列にA系列を重ねると、「未来にある」「現在にある」そして「過去にある」一つの出来事の、時制におけるすべての「ある」が、同等の「ある」であるということになり、時制の制約と矛盾する。

したがってB系列時間もA系列時間も真の時間ではない。しかし出来事に時間順序を付ける方法は、A・B系列の二つしかない。それゆえマクダガードは言う、「時間は実在しない」。

未来と現在の間に因果関係はない

A系列時間（線形時間）での「未来の出来事」の経験的現実化とは、出来事が未来から現在へと移行したことを意味する。この移行とは、「今」がタイムマシンのように未来に行くことなのか、それとも未来が来ることなのか……。問題なのは、「未来に実体がある出来事」が未来から来るならば、未来と現在の間に因果論的関係があることになる。現在において私が経験する出来事が、未来においてすでに決まっているとする「運命論」「決定論」は明らかにA系列時間に基づく考え方だといえる。未来から来る出来事に経験的現実性があるなら、未来と現在は実質的な因果関係を有することになる。しかし「野球の試合」という出来事を構成する実体（物質）は徹頭徹尾この現在にある。だとすると「未来の出来事」を構成する実体とは何か、それは「未来の物質（実体）」なのか……。しかしそんな物（未来の物質）など、「過去の物質」と同様に（化石は過去の物質ではなく現在の物質である）どこにも実在しないのである。

「明日の野球の試合」を構成する「未来の物質」などない。「明日の野球の試合」は未来に決定論的にあるのではなく、現在の「私の思い」の内にあるだけなのだ。

＊　＊　＊

「明日、日曜日に市民球場で野球の試合があるから見に行こう」と友人に話し、そして予定通り日曜日に野球の試合が市民球場で行われた場合、未来と現在の因果論的関係に基づき、未来の出来事が現在に来たのであろうか……。そして私が前日に友人に話したことは、未来にあって現在に来ることが決定されている「未来の出来事」についての話だったのか……。

しかし私が前日に、未来の決定論的な出来事について話したという事実はない。「未来の出来事」が未来から現在に来るという考えは、マクダガードが否定したA系列時間（線形時間）が作り出す幻想なのである。A系列時間において「未来」を捉えれば、我々は「未来」の本質を見誤ることになる。未来の出来事を構成する実体（物質）など実在しない。そのような実体が未来にあると思い込むのは、未来を現在空間との類推による「空間的イメージ」（未来空間）として捉えているからである。しかし何かが生起し、何かが決まり、何かがあるのは「存在」と不可分離の現在空間（実体空間）だけである。それゆえ「実体なき未来」とは、「非決定、非生起、非在」であり、A系列が作り出す、「あたかも実在するかのような時間の幻」なのである。実体なき未来とは「無」なのであり、したがって未来と現在が決定論的、運命論的な因果関係にあるわけではなく、現在の運動が未来に影響を及ぼすわけでもない。現在の出来事を構成する実体と同等の実体が、10年後の未来にあるわけではない。未来と現在の因果関係は無なのである。

出来事が未来から来ると我々が思い込む一つの原因として、出来事に対する経験的記憶（内的時間）が考えられる。つまり、「もうすぐ野球の試合がある」と思った7日前から見れば、「野球の試合があった」3日前は、「未来」である。出来事の前後の記憶と、その想起ゆえに、「未来の出来事が不断にやってきた、そしてこれからも……」と我々は思い込むのである。

現在と未来を結びつける、進歩の必然に基づく物語（例えばマルクス主義の物語）など実在せず、物語に従って現在空間における物の運動を規定する「唯物弁証法」なるものは、我々をいかなる未来にも導かない「虚構」なのである。

今はない出来事は過去へと行ったのか……

今はない出来事が過去へ行ったのなら、現在ある出来事が過去へと行くときとは、果たしてこの現在にあるのか、それとも過去にあるのか……。

一つの出来事が時制的に変化するA系列時間（線形時間）においては、一つの出来事が現在に保持されるときと、今まさに過去へと移行するときが現在において同時に存在するかのように思える。フッサールはそのようなときが実在すると考えた。フッサールは、メロディーが鳴り終わった、その直後の余韻を感じるときこそが、メロディーが現在から過去へと移行するときだと主張した。フッサールによれば、一つの出来事であるメロディーが、今まさに鳴り終わったときこそが、フッサールの言う「過去把持」の時なのである。しかし本当にそのようなときが実在するのか、「過去把持の時」とは、鳴り終わったメロディーがまさに過去へと移行するときではなく、鳴り終わったメロディーが記憶（内的時間）において把持されるときではないのか。鳴り終わったときの余韻とは「過去と現在の間」ではなく、「今現在」にあるのではないのか……。メロディーは過去へと移行することなく、記憶されるこの現在において消え去るのではないのか……。

フッサールは時の流れ（時制的変化）の実在性を疑わなかったがゆえに、このような疑問を抱くことはなかった。

＊　＊　＊

出来事の現在から過去への変化など、誰も経験せず、客観的に観測されることがないのは、そのような変化など実在せず、A系列時間が作り出す「変化の幻」だからではないのか。そうだとすると、「過去があったから今現在がある」ということはできない。なぜなら、出来事の「過去への運動」という変化が実在しないならば、出来事の時間的変化とは出来事がある現在空間における、「現在の変化」だからである。それゆえ出来事（メロディー）の過去への変化などなく、あるのはこの現在における出来事（メロディー）の「無化」なのであり、「出来事が過去へと過ぎ去ったこと」など今まで一度もなかったし、これからもないのである。

「今はない出来事が過去へと過ぎ去った」と我々が考えるのは、経験した出来事を記憶し想起することで「今はない出来事」を再認するからであり、そしてその想起を通して「今はない出来事」を、想起する今現在において過去形の文脈で語り出すからである。「3年前のハワイの旅は楽しかった……」と想起を通じて語り出される「今はない出来事」と想起する今現在において経験する出来事との間に、「現在と過去」という意味的関係が構成されるが、しかし語り出された今はない出来事（ハワイ旅行）は3年前の過去にあるわけではない。重要なことは、記憶とは想起する今現在にある「内的時間」であるがゆえに、記憶されている「今はない出来事」はA系列時間（線形時間）における「過去」と無関係であり、「3年前の楽しかったハワイ旅行」は3年前の過去にあるのではなく、今はない出来事への「思い」として現在にあるのである。「今はないこと」への思いが、「現に経験していること」によって触発（記憶＝想起）されるとき、私は「楽しかった出来事」が今はない現実に直面しているのである。「思い」の内にあるのは「不在のイメージ」であり、それゆえ私が直面する現実とは、経験した出来事が「過去」にも「現在」にも、どこにもない現実なのである。

想起は過去世界の表象ではない。過去世界が想起の背後にあって、現在世界と超越論的（二元論的）に対峙しているわけではない。記憶とは「過去世界の記憶」ではなく、現在世界の経験的記憶としてこの現在にある。この記憶ゆえに出来事の「先後関係」が、「現在と過去の関係」として意味づけられるのである。ここで重要なことはB系列時間で問題となった「今」の問題は、B系列における出来事の先後関係をA系列時間に通用することで解決するのではなく、出来事の記憶に基づく「先後関係の意味づけ」として解決すべきではないのか、ということである。つまり「今」とは時間の流れとともに過去から未来へと流れる「今」ではなく、現経験と対比される出来事を想起する「今」として現在にある「今」である。

＊　＊　＊

$t_1 t_2 t_3$……と表記されるB系列においては、出来事の時間順序が決まっている。つまり、無時制のB系列における決定論的な時間順序とは、出来事の先後関係である。そしてB系列において決めることができないのが、どの出来事が「今現在の出来事なのか……」ということである。どの出来事が「今現在の出来事」なのかが、無時制のB系列において明らかになることはない。B系列は実在世界の出来事を生起順に列記することができるが、今現在の出来事を実在世界の出来事として記述することができない。それゆえ、B系列で記述された実在世界に「今」を取り入れるためには、時制的時間であるA系列時間によってB系列時間を測らねばならない。しかしそのことによって新たな問題が生じる。なぜなら2020年7月3日の出来事Tは、2020年3月から見れば未来であり、7月3日では現在であり、10月から見れば過去である。つまり一つの出来事が過去であり現在であり未来であることになる。そしていずれの時制も実在的なのだ……。

A系列では「今」が線形時間軸における過去から未来へと推移するがゆえに、出来事Tがある「今」の時制が「過去の今」「現在の今」「未来の今」に分かれることになる。しかしなぜ、「過去の今」「未来の今」が「現在の今」と等しく実在的であるのか……。私が何事かを現に経験する「今」とは、常に現在にある。想起する「今」もまた現在にある。この現在において何事かを経験する「現存在」である私は、「過去の私」でも「未来の私」でもない。想起の対象は過去になく、現在にあるがゆえに、「今」は経験が想起の対象となることで次の経験的「今」へと変化する。それゆえ「今」は常に「現在時間軸上」にあるのである。

現象と現実

観念論者バークリーは「存在するとは知覚されることである」と考え、知覚される「観念世界」の外にある「客観的実在」を否定した。しかし、カントは「外界」の実在性を否定しなかった。

なぜなら統覚以前の「感覚的刺激」それ自体は、外界が感性を触発することで感覚に与えられるものだからである。カントは外界の実在性を否定しなかったが、しかし空間・時間は自然界に実在するものではなく、外界を認識する形式としてあるものであり、認識の枠組を構成するアプリオリ（先験的）な概念として悟性に備わっている、感性的直観の形式だと考えた。カントによれば、空間・時間は感性的直観の形式として悟性にアプリオリにある、超越的観念なのだ。しかし重要なのは、認識する何物かの現象を規定する時・空間の、「経験的現実性」をカントが認めたことである。

カントの言う「物自体」とは、例えば私が思い描く、まだどこにも顕在化していない「美しい円」であり、「理想的な楕円」である。なぜ私は「美しい円」や「理想的な楕円」を思い描くことができるのか……。それは「何物（円や楕円）自体」に対する直観と思考が、時・空間のアプリオリな形式の内にあるからである。そして私の内に思い描かれている「美しい円」「理想的な楕円」を私が紙上に描くとき、紙上に描かれた「円」や「楕円」とは時・空間のアプリオリな形式においてある「物自体」が、経験を構成する時・空間に現象したことを表す「円」であり「楕円」なのである。この意味において時間・空間とは物自体の直観を可能にする悟性のアプリオリな形式であると同時に、私が経験する物自体の現象を可能にする現実的な経験の形式でもあるということなのである。カントは『プロレゴメナ』の中で次のように述べている。「空間（バークリーは時間には注意しなかったが時間もまた同然である）は、そのいっさいの規定とともに我々によってアプリオリに認識せられうる。空間ならびに時間はいっさいの知覚や経験に先立ち、感性の純粋な形式として我々の本性に具わっている。そして感性のいっさいの直観を、したがってまたいっさいの現象を可能ならしめるのである。」※カント著、篠田英雄訳『プロレゴメナ』（一九七七年 岩波書店）

カントによれば、時間・空間はアプリオリ（先験的）な形式として我々の本性（悟性）にそなわっている。それゆえ「物自体」の悟性的直感を可能にし、同時に物自体の現象（概念の感性化）に対する「感性的直感」を可能にする。アプリオリな形式も現象の形式も、時・空間の二つの側面なのである。「物自体」は意識の背後にある不可知なものではなく、「物自体」はその現象において認識されるのである。紙上に描かれた円とは「概念の感性化」によって現象した「何物自体」であり、「紙上空間に円を描く時間」は感性的直観の形式としての時・空間なのである。つまり現象の経験を可能にする時間であり空間なのである。

「物自体」はプラトンの「イデア」に近いものだといえる。プラトンは現象界とイデア界を二元論的に捉え、両者の関係を「洞窟の譬喩」として表し、現象はイデア界の影であり、真の存在はイデア界にあると考えた。しかしカントが考える「物自体」と「現象」は決して二元論的な関係ではない。なぜならアプリオリな形式としての時・空間も、現象の形式としての時・空間も、ともに今現在の枠組を構成する時・空間の二つの様式だからである。だからこそ、紙上に描かれた「円」も、思いの内に描かれる「円」も、この現在にあるのである。現象した「円」とは概念の感性化において現在に顕在化した「円」であり、私が経験する「円」である。それゆえ現象こそが経験する現実なのである。つまり、現象とは物自体の現象であるがゆえに、現象こそが物自体の現実なのである。

多様な表象と一現

「キュビズム」の絵画に表れているものとは「一者の現前」へと収束していた多様な表象（多様な延長、広がり、部分としての形や色）を意図的に解体した、その無秩序な同時性の場における、一者の没落である。

統覚において現前する一者は、「概念の感性化」の場から生起する多様な表象の統合体であり、感性化の場と一者の存在する場の同一性ゆえに、一者は「そこ」に現前するのである。

多様な表象（現前する一者の要素）は統覚において一現となる。統覚ではなく、多様な表象の同時性において一者を見ようとしても、一者は見えないのだ。キュビズムの画家は、一者を「統覚」から多様な表象の同時性へと還元することで、一者の真の姿を捉えようとした。しかしそこに表れたのは、一者の真の姿ではなかった。一者との連関を失った多様な表象とは何物でもなく、個々の領域から生起した同時的な色や形といった意識の事実である。

統覚が一つの意識への統合であるのは、多様な表象が「概念の感性化の領域」（生の場）から生起する、「意識を伴う表象」だからであり、それゆえ「多様な表象の一者への統合」と「多様な意識の一つの意識への統覚」が等価だからである。統覚的意識とは常に一者への意識なのだ。

純粋統覚とは「物自体」を存在させることではなく、生の場（概念の感性化の領域）からさまざまに生起する「存在の純粋現前（表象）」を一つの意識へと統覚することで、個物としての一者を全的に現前させることなのである。つまり純粋統覚によって「客体」の現前が構成されるのである。統覚とはその現前に関わるものなのである。ここで重要なことは、統覚（純粋統覚）によって一者の全的な相貌が現前するとしても、その一者が何物であるのかを、個々の現前の要素（多様な表象）から判断することができないということである。つまり一者が何物であるかは超越論的に規定されねばならず、そのためには意識の総合的時間（純粋統覚）が、意識の超越的時間（形相の内的経験的時間）を触発（想起）するという超越論的時間規定が必要なのである。この時間規定ゆえに、最後に来るものが何物かとして最初に認識されるのである。

第三章　絶対的現象はあるか……

感覚と身体記憶

「触れている感じ」とは純粋な感性化の領域にあるといえる。何かに触れるときの、「触れる者」と「触れられるもの」との接触面に生起する「一つの感覚」とは、その接触面の多様な振動・刺激の内的縮約であり、触れる身体と触れられる物との「同調」を意味するのである。接触平面とは両者の同調空間であり、この空間において身体は外界に応答する。接触面から生起する多様な刺激（振動）は、触覚細胞において電気・化学信号となり脳へと送信される。多様な刺激が「一つの刺激」になるということは、多様な信号が一つの信号パターンに集約されることを意味する。「一つの感覚」は「一つの信号パターン」と対応関係にある。それゆえ脳内の一つの信号パターンを刺激すれば「一つの感覚」が生起するのである。この問題についてドルーズは次のように述べている。

「感覚は、神経の表面であるいは脳の容積のなかで、刺激物の振動を縮約する。すなわち先行するものは、後続するものが現れるとき、まだ消えないということだ。それがカオスに応答する感覚なりの仕方である。感覚は、いくつもの振動を縮約するがゆえに、それ自身振動する。感覚はいくつもの振動を保存するがゆえに、それ自身を保存する。……感覚それは縮約され、質・変化性＝多様体へと生成した振動である。」※ジル・ドゥルーズ／フェリックス・ガタリ著、財津理訳『哲学とは何か』（一九九七年　河出書房新社）

重要なことは、「先行するものは、後続するものが現れるとき、まだ消えない」とドルーズが言っていることである。

視覚が閉ざされた暗闇の中で、ある物に触れるときの感触とは、カオス（接触平面の振動）に応答する感覚なりの仕方において刺激物から触発され、そして刺激物と差異化されたものである。ここで言う「差異化」とは空間においてあるものを時間において差異化するということである。つまり「触れる者」と「触れられるもの」が作り出す接触平面の振動が、縮約する時間において「一つの感覚」として差異化されるのである。そしてここで重要なことは、「一ついないということである。物に触れるときの「ざらざらとした感触」とは接触平面の感性化に基づく空間感覚であり、そしてこの感触が後続的に現れたということは、接触平面から立ち上がる振動・刺激が縮約されて、「ざらざらとした感触」の内に保持されているということである。つまり先行する振動・刺激が、縮約を通して後続する感覚の内に保持されるのであり、この保持なくして感覚の持続もまたないのである。ドルーズは感覚における、先行するものと後続するものとの関係に、身体記憶の原流を見たといえるのである。

触覚は、接触面から同時に生起する多様な刺激を、その縮約において保存する。しかしこの縮約自体は私が経験することではない。この意味において縮約は無意識的な身体記憶として感覚に保存され、質感を伴う「感触」を形成する。これに対し「冷たくかたい感じ」「温かく柔らかい感じ」として意識される感覚は、概念（空間概念）の感性化によって生起した感触であり、「意識される感覚」は、先行する感覚に後続するがゆえに、感覚においては「意識される感覚」が経験の最初にくる、第一義的感覚なのである。したがって意識される感覚に保存される経験的記憶は、感覚を意識するその意識においては、先行する身体記憶に対して最初にくる第一義的記憶なのである。

非人称的自己感覚

「物に触れる感覚」と「物から触れられる感覚」は接触面を構成する「同時性」において現象する、一対の感覚である。「物に触れる感覚」と「物から触れられる感覚」は、同時性の領野においてメビウスの輪のように絡み合い、不可分離なものとして一つの触覚を形成する。「一つの触覚」においても「物に触れる感覚」と「物から触れられる感覚」との差異は解消されない。この両者の差異は相互否定的なものではなく相互肯定的な差異である。触れる物とは身体自身から見れば他者（異物）である。接触面を震わす、物に触れるときの刺激とは、同時に物から触れられる刺激でもある。それゆえ縮約を通じて身体感覚の内に身体記憶が保持されるものとは、身体自身と対応する純粋な他者である。つまり感覚に保持される、身体感覚に先行するものとは、先行する単なる刺激ではなく、身体自身を震わす「純粋な他者」という存在の衝撃なのである。

「物に触れる感覚」と「物から触れられる感覚」によって「一つの感覚」が構成される。つまり身体が物に触れる「主体的身体」を感じていると同時に、物から触れられる「客体」としての身体を感じているのである。身体は物に触れることで物質世界である「他者」を感じ、そして他者から触れられる身体自身を感じている。つまり触れる他者を通じて、触れられる自身を感じているがゆえに、感覚とは身体の自己感覚なのである。物に触れることで物質世界に参入する身体は、物質世界に参入することで物（他者）から触れられる身体に転じる。身体はこのようにして「自身があること」を感じるのである。自己感覚においては、「他があること」と「自身があること」の直感は不可分の一対のものである。

「物質世界に身体が参入する形式」である感覚は、自・他の存在が「あることを感じる」形式であって、決して「何物かの世界」に参入し、何物かを知覚する形式ではないのである。

脳は意味を作る器官ではない

身体と同調する刺激物の振動は、同調する身体内で電気・化学的信号に変換され、脳において一定の信号パターンに縮約される。信号パターンを形成する縮約は、同調する身体の部位によって異なる。つまり同調する身体の部位と一定の対応関係にある。信号パターンの差異とは、その縮約の差異なのである。脳の部位に外部から電気的刺激を与えると、脳の部位と対応関係にある身体の部位が反応するのは、特定の信号パターンが、脳の特定の部位において縮約されるからである。つまり同調する身体の各部位から送られてくる信号を、脳のどの神経細胞が処理するのかが決まっているのである。ここで重要なことは、多様な信号の縮約において形成される「一定の信号パターン」とは、同調を通して信号パターンへと変換された、刺激物だということである。つまり一定の信号パターンとは、変換された刺激物の「形状」なのである。脳内には触れる物があるわけではないが、しかし一定の信号パターンへと形状変換された「触れる物」が存在するのである。脳が身体記憶として保持するのは、信号パターンというよりも、それを作り出す縮約の一貫した類型なのであり、この意味において脳とは一つの「形状記憶物質」なのである。

感覚的刺激から変換された電気的信号は、神経インパルスとして末梢神経から脳へと送られ、脳神経細胞間のネットワークとして縮約され、そして一つの信号パターンが形成される。信号パターンの形成過程を精密に観測したとしても、観測される信号情報から、触れている物が何物であるかを知ることができない。なぜなら、その情報源は、接触面での同調を通じて身体が「物の世界」に参入することで得られた「何物でもない物」に関する情報であり、参入それ自体によって「存在の意味」に関する情報は決して得られないからである。つまり「実在世界」と脳の「神経細胞」の間には、何物かを知覚するための「知覚の因果律」は成立していないのであり、脳内のどこにも存在の意味を作り出す場所などないのである。脳は絶対に物質以外のものと関わることはないのである。脳は自身が何ものであるかをいっさい知らない。それゆえ私とは一個の脳ではない。

脳に創発的な可能性があるとすれば、脳の本質が外界の空間化された時間を形状（信号パターン）記憶の無意識的時間に変換することにある。記憶とは過去になく現在にあるという意味で、記憶とは内的時間である。内的時間である記憶を、現在の身体記憶と過去の経験的記憶とに二元論的に分けることなどできない。二つの記憶の差異とは、この現在における記憶の縮小と拡大の差異なのである。それゆえ、二つの記憶は内的時間として一体であり連続的なのである。その一体化は概念の感性化による記憶の止揚と等価なのである。

脳の本質である形状記憶（身体記憶）は、「私の記憶」ではない。ここで重要なことは我々が「意識」と呼ぶものの正体が、内的時間だということである。発生現象的に最初に来るものとは、無意識（身体記憶）であるが、しかし「私」にとって第一義的に来るものとは意識（経験的記憶）であって無意識ではない。そして意識と無意識との時間的関係とは、伸縮する内的時間それ自体の自己触発的関係なのである。二つの記憶の二元論では、時間（身体記憶）が時間（経験的記憶）を触発するという、時間（内的時間）の自己触発が説明できないのである。

脳は意味（存在の意味）を作り出す器官ではないが、外界の空間化された時間を内的形状記憶として発生現象的に内在化する器官であることは間違いないといえるのである。

身体記憶から経験的記憶へと発展した内的時間においては、原理的に身体記憶だけが他の記憶から独立してあることができない。脳の本質である形状（信号パターン）記憶も例外ではない。意識下にある形状記憶は、意識される経験的記憶と断絶したものではなく、二つの記憶は内的時間として連続している。そしてその連続的関係とは、自己触発的関係なのである。自己触発自体は意識されることがなく、意識されるのは常にその変化だけなのである。

＊　＊　＊

てんかん治療のため、大脳皮質の特定の場を電極で直接、刺激を与えると、意識に特徴的な変化が起こることが知られている。患者は手術室での出来事を意識していると同時に、電極による刺激で生起する過去の経験のフラッシュバッグを意識するのである。重要なことは、電極による刺激が過去の経験を呼び起こすことと、感覚的刺激が痛みの経験を呼び起すこととは等価だということである。意識される「こと」とは概念の感性化によって私が経験したことである。意識されないこと（形状記憶）が私が経験したことの記憶と不可分離であるのは、この二つの記憶が同一の内的時間だからである。電極による刺激も感覚的刺激も「ことの世界」にあるがゆえに、意識しない「こと」に作用することで、意識する（した）ことを生起させるのである。記憶（内的時間）の自己触発とは「こと」（意識しないこと）から「こと」（経験したこと）への自己触発なのである。

脳による外界の感性化とは、物質世界を内的形状（信号パターン）へと変換することであり、外的空間から内部空間（脳内空間）へと変換された空間を時間化（形状記憶）することなのである。重要なのは「形状記憶」が知覚世界の記憶ではないということであり、私の想起の対象ではないということである。想起できる時間とは、内的経験的時間（知覚の記憶）なのである。

内的経験規定である「概念の感性化」という出来事こそが現象世界における最も根源的な出来事なのである。この出来事によって「こと」の順序が逆転し、最後の記憶が最初の記憶となり、最初の記憶（形状記憶）が最後の記憶となるのである。電極による刺激とは、あくまでも「概念の感性化」によって「こと」の順序が逆転した世界での出来事である。それゆえ電極による刺激がこの世界での最後の記憶（形状記憶）を触発することで、その記憶と不可分離の最初の記憶（経験的記憶）が生起するのである。

意識は内的時間（記憶）であって物（神経細胞）ではない。形状（信号パターン）記憶が「何物かの形状」についての記憶ではないのは、脳が意味（形状の記憶）を作り出す器官ではないからである。形状記憶が「私の記憶」ではなく、私の想起（意識）の対象でないのは、内的時間としての私の記憶が形状記憶とは異なるレベルにあるからである。つまり私の記憶（意識）とは、「概念の感性化」という本質的な出来事によって止揚された世界の記憶なのである。

この意味において、私とは内的時間的存在なのであって、一個の脳でも、内的形状（信号パターン）へと変換された物質でもない。脳が物質世界を内的形状へと変換する能力を失えば時間の自己触発自体が無化（脳死）するのである。

視覚と印象

可視光とは眼の網膜細胞と同調し、電気的信号から神経インパルスへと変換された光である。見えない光（例えばX線や赤外線）とは、同調できない波長を有する、神経インパルスへと変換できない光である。

物体に反射した可視光は、網膜細胞と同調し、神経インパルスへと変換され、脳内で一定の信号パターンへと縮約される。縮約された信号パターンとは、脳の中枢神経から網膜へと投影された外の物体の印象だといえる。物体自体ではなく、物体に反射する電磁波であり粒子である光という物質を契機とする物体の印象なのである。脳は縮約された信号パターンを網膜細胞へと送り返すことで、物ではなく「物の印象」を見ている。しかし脳ではなくこの私は、物の印象が網膜に投影される因果の過程によって何物か（椅子や机）を見ているわけではない。つまり「物の印象」が網膜に投影される因果の過程と、私が椅子や机といった何物かを見る（知覚する）因果の過程は同一ではないのである。

可視光といっても、その波長には一定の幅があり、その範囲において可視光は多様である。それゆえ同調もまた、その範囲において多様な広がりを有する。したがって変換され縮約される信号パターンも波長の差異によって異なるがゆえに、網膜には多様な信号パターンに伴う「印象」が同時に投影される。内的な発生現象としての印象は、感性界の純粋な印象であるが、しかしこの印象は何の印象でもない言わば、「無の印象」である。網膜に異なる波長の印象が同時に投影されたとしても、その集合もまた一つの「印象」でしかない。つまりその印象には顔がない。顔のない印象を私は見ることも意識することもできない。それゆえ、私の想起の対象（記憶）ではない。

顔のある印象とは何か、それは赤い印象、青い印象、円い印象として分別可能な印象なのである。印象だけがあって、観念（感性化された概念）がなければ、私は何も見ることができない。私が見る赤い色とは、色という観念が作り出す「顔のある印象」なのである。「印象」は概念の感性化という本質的な出来事によって「顔のある印象」へと変換される。重要なことはこの変換によって、記憶の実質それ自体が変換されるということである。つまり、信号パターンの物理的形状記憶から、出来事（概念の感性化）記憶へと、記憶それ自体が止揚されるのである。私の記憶とは、止揚された出来事の記憶なのであり、私の経験的意識とは、出来事に対する志向的意識なのである。この意味において、意識に現前するものとは印象ではなく「顔のある印象」なのである。

＊　＊　＊

脳神経学者テイラーが体験したこととは、観念と認識との関係を考える上で、貴重な体験だといえる。

その貴重な体験とは、テイラーが脳卒中に罹患したときの体験である。彼女の脳は、脳内出血によって左脳に深刻なダメージを受けた。その結果、言語（観念）、記憶、運動感覚との内的連関が失われ、認知能力が著しく低下した。彼女は障害による知覚の異常な様相を体験し、その内的体験を詳細に述べている。

「わたしの脳は、もはや文字を文字としてシンボルをシンボルとして、地を地として判別することができませんでした。それどころか、名刺は小さな画素を寄せ集めた抽象的な織物（タペストリー）のように見えたのです。全体的に名刺というものを形作る断片をごちゃ混ぜにしたような感じ、言語の記号を作っている小さな点々が名刺の地の色の点々と混じり合っていました。名刺の色や縁の区別も、もはや私の脳には登録されていなかったのです。」※ジル・ボル

ト・テイラー著、竹内薫訳『奇跡の脳―脳科学者の脳が壊れたとき―』（二〇一二年 新潮社）

テイラーの眼（網膜）に映った「抽象的な織物」とは、まさに名刺という顔を失い、顔を構成していたすべての部分が溶解した、「顔のない印象」なのである。テイラーはその原因として、名刺の色や縁の区別が脳に登録されていなかったからだと考えているが、病気によって失われた能力とは「概念の感性化」の能力であり、感性化された概念（観念）を通して体験した「こと」の記憶である。記憶の喪失とは、概念の感性化によって生起する「出来事」の記憶を失うことである。それゆえ、名刺の色や縁の区別が脳に登録されていなかったということは、テイラーが内的経験の記憶を失ったということなのであり、内的時間が縮小したということなのである。それゆえ、テイラーの眼（網膜）には、漠然とした信号パターン（画素の寄せ集め）に基づく「顔のない印象」だけが投影されることになったのである。つまり形状（信号パターン）記憶が経験的記憶から分断されてしまったのである。

テイラーは後に、失っていた記憶と能力を再び取り戻した。テイラーはバラバラのジグソーパズルを結合させる作業療法によって、バラバラの部位を「色」において統合することを学習した。そして概念の感性化の能力を取り戻したのである。そして色が見えるようになったのである。そのときの驚きをテイラーは素直に述べている。

「私は心の中で独り言をくりかえしました。いろ、いろ、いろ。そして電光石火、突然、色が見えるようになったのです……。色を手段として利用できると教えられるまで、色を見ることができなかったなんて、いまだに信じられません。」※ジル・ボルト・テイラー著、竹内薫訳『奇跡の脳―脳科学者の脳が壊れたとき―』（二〇一二年 新潮社）

「赤」という色の意味（観念）は、運動する光という物質が作り出すものでも、縮約された「光の波調の束」それ自体が客観的に有するものでもない。一定の信号パターンへと縮約された「光の波調の束」は、空間的な「印象の広がり」として現象する。私がその現象を意識しないのは、存在が、その意味（存在の意味）において私の意識に指向的に現象するからである。そしてそのためには、「概念の感性化」という本質的な出来事が、観念として記憶されていなければならない。そしてこの経験的記憶が形状記憶と重なることで、つまり経験的印象と発生現象的印象が重なることで、「赤い物が見える」という出来事が現象するのである。それゆえ赤いという観念がなければ、私は「赤い物」を見ることができないのであり、色の観念があるがゆえに、他の物を同じ「赤い物」として認識したり、「青い物」と「赤い物」を識別することができたりするのである。それゆえ、「赤く見える物」は存在するが、「赤い物」は実在しないのである。

＊　＊　＊

色の観念の領域から「赤く見える物」が立ち現れる。この意味において「色」とは「見える場」を規定する空間観念だといえる。それゆえ「赤く見える物」と「青く見える物」を識別するとき、その識別には、色の観念だけではなく、色の「広がり」、「境界」、といった空間観念によっても、その「立ち現れ」が識別されることになるのである。それゆえ、赤く見える物には「形」があるのである。

概念の感性化によって獲得された、識別に必要な経験的価値（観念）のすべてを記憶から失ったとき、テイラーの生の凋落期に現れたような画素を寄せ集めた「抽象的な織物」が出現する。つまり我々にはもはや、何物も見えなくなるのである。テイラーが「色」を手段として用いることを学んで、色が見えるようになったということは、リハビリを通じてテイラーが、「赤いコーヒーカップ」や「白い皿」が存在する、フッサールの言う「生活世界」への復帰を果たしたということなのである。そして、色を見るという視点が「私の視点」であるとするならば、その視点は脳を超えた視点なのである。

光という物の世界に色はない

可視光として眼の網膜と同調する光は、網膜を通って脳という物質の闇へと消えるわけではない。物体に反射し、眼の網膜を刺激する光（可視光）の波調とその振動エネルギーは、電気・化学的信号（神経インパルス）に変換され視覚野と呼ばれる脳の神経細胞の部位で、異なる波調のエネルギーごとに、異なる信号パターンへと縮約される。そして可視光を反射する物の印象である「光の印象」として分類され、登録（形状記憶）される。しかし脳は「光の印象」を「色」として分類しているわけではない。その分類はあくまでも光の波調の物理的性質と振動エネルギーに基づく分類である。

眼は光と同調することで光という物の世界に参入する器官である。しかしその参入によって眼が、光という物の世界に実在する「青い光」や「赤い光」自体を直接見るわけではない。なぜなら「赤」や「青」とは色の意味であり、意味とは物質ではないがゆえに光の振動エネルギーが作り出すものでも、エネルギーの変換や縮約が作り出すものでもないからである。それゆえ眼が同調によって参入する、光という物質の世界には「赤い光」も「青い光」も実在しないのである。

つまり、三角形や四角形といった形の意味（観念）に導かれなければ、夜空に星座を見ることができないと同様に、赤や青といった色の意味（観念）に導かれなければ、「光の印象」を赤や青の「色の印象」として見ることが私にはできないのである。光という物の世界に色はない。私は色がなければ、光という物の世界を見ることができない。光（可視光）は私が色を見るための外的要素であるが、しかし外的要素だけでは何も見えない。赤・青といった色の意味（観念）は、私が何かを見るための内的要素なのである。「概念の感性化」とは外的・内的要素の統合（一元化）であり、私は要素の統合（一元化）によって色を見るという経験をするのである。

現象か実在か

物体に反射し、眼の網膜と同調する光が、他の光（紫外線、赤外線……）であったならば、網膜に投影される光の印象もまた異なる。しかし眼の網膜と現に同調しない光は、概念（色）の感性化が不可能であるがゆえに、私は青や赤といった色の領域からその光を見ることができない。それゆえ紫外線や赤外線といった光は「見えない光」なのである。この見えない光もまた、原理的に物体Xに反射するが、しかし眼の網膜に投影される「物の印象」は、見えない光の闇から立ち現れる、見える光の印象なのである。

物の印象とは、さまざまな光が反射する物によって限定される、限定空間の印象である。それゆえこの印象は、色を始めとする空間概念が現象する場と不可分離なものであるがゆえに、印象自体として意識され、知覚されることはなく、最も単純な知覚においても、赤い場面、青い場面として知覚に現象するのである。つまり存在が色の知覚において、最も単純な形で開示され、現象するのである。そこに色を見るという知覚の存在開示が、最も根源的な知覚の存在開示であるのは、色による知覚の存在開示と同時に、その広がり、境界、形といった複合的な知覚によって存在が開示されるからである。

カントの言う「多様な表象」とは、このような形で存在開示される、統覚以前の知覚の多様な現象のことなのである。ここで重要なことは、統覚とは二次元空間における「多様な表象」の統覚ではないということである。原理的に一つの視点からしか開示されない存在には、知覚開示されない「存在の影」が常に存在する。そしてこの「存在の影」は、知覚開示される存在が二次元空間を限定するのではなく、三次元空間を限定することで生じる、知覚開示されることのない存在の影なのである。

存在の奥行と知覚

存在が限定する空間が三次元空間であるがゆえに、存在には奥行と厚みがある。身体は存在に触れ、そして存在から触れられることで、存在の奥行に引き込まれる。物に触れるときの感覚的刺激とは、身体が存在の奥行に引き込まれたことを表す。外界は身体を存在の奥行に引き込むことで受内化する。身体は感性の形式に基づいて、存在の奥行へと参入することで、外界を感性化する。この受内化、感性化において、触れる物があることと、物に触れられる身体があることとは一体であり、両者の関係は可逆的であり、時間において同時的なのである。それゆえ存在が知覚開示において現前するとき、同時に身体が知覚開示において現前する。触れる存在が「熱い物」として知覚開示されるとき、身体は「熱さを感じる身体」として知覚開示される。つまり共現前するのである。この共現前は、一つの視点のパースペクティブにおける、指向的な共現前なのである。

重要なことは、存在の知覚開示（現前）が一つの視点のパースペクティブにおける知覚開示だということであり、そして知覚開示の指向性と存在の空間的性格ゆえに、一つの存在の知覚開示される領域と知覚開示されない領域が同時に存在するということである。バークリーは

「存在するとは知覚されることだ」と言ったが、しかし存在はその「奥行」ゆえに、「知覚されること」と「知覚されないこと」、「見えること」と「見えないこと」は、知覚において存在するための同一の条件なのである。

存在は知覚における、有と無の領域に同時に存在するがゆえに、知覚されなくても、知覚開示される存在の、無の領域に同時的にある存在と「同一の存在」としてあり続ける。知覚開示される存在と知覚開示されない存在との「自己同一性」は、自己矛盾的な自己同一性などではなく、「奥行のある存在」ゆえの現象的存在（見えるもの）と実在的存在（見えないもの）との相互肯定的な自己同一性なのである。メルロ・ポンティは「奥行」について次のように述べている。

「奥行とは、諸物が私が現に見つめている当のものでなくなる際にも、依然としてもとのままであり、物であり続けるための、諸物のもつ手段である。これはすぐれて同時的なるものの次元である。奥行が仮にないとしたら、世界もしくは「存在」はありはしないであろう……。」

※M・メルロ＝ポンティ著、クロード・ルフォール編、中島盛夫監訳『見えるものと見えざるもの』（一九九四年 法政大学出版局）

光という物質が、見えない存在に反射することで、光は見るための外的要素となる。この外的要素は、私が色（内的要素）を用いて外界を見る（知覚する）ために不可欠なものである。この外的要素は、存在の奥行と視点のパースペクティブゆえに、原理的に存在の一方面からしか与えられない。しかし「奥行」のすぐれて同時的なものの次元ゆえに、外的要素は三次元的存在のどの方向からも原理的に与えられることが可能である。だからこそ見えない存在が見える存在の奥行を立体的に構成し、見えない存在が見える存在の立体的な印象を立ち現すのである。もし外界と存在に奥行がなかったならば、視点のパースペクティブにおいて、知覚される存在が立体的に立ち現れることがなかったであろう。つまり外的視点との関係を持たない存在と外的視点との関係を有する存在とが、一つの存在として同時性の次元にあるがゆえに、見える存在の奥行が見えない存在によって構成されるのである。

知覚に現前する、見える存在の奥行としてある「見えない存在」は、現在の同時的次元における関係であって、一つの存在の現在と過去の関係ではない。

＊　＊　＊

私がそこに見る色は、青や赤といった色の意味として普遍である。それゆえ「色を見る」という経験は、色の普遍的経験として記憶される。「色を見る」という普遍的経験ゆえに、その記憶と想起によって、色を見る個々の場面に「経験した色」が適用されるのである。この意味において知覚するとは想起することだといえる。重要なことは、知覚と視点の指向的関係ゆえに、知覚開示（現前）しない潜在的存在もまた知覚経験の対象だということである。

存在の現前的領域と存在の潜在的領域は、同時的次元において「メビウスの輪」のように結びつき、奥行を有する「一つの存在」の構成要素として現に存在する。現前する存在と潜在する存在は、不可分離なものとして共に知覚経験の普遍的対象である。「存在する」とは知覚開示されることである。知覚に現前する存在と現前しない存在は、知覚視点の変化によって、現前と潜在が同時的次元において反転する。このような反転が可能なのは、奥行を有する存在が多面体として空間を限定しているからであり、そして一つの存在の一面と多面が同時的次元にあるがゆえに、一つの知覚経験が普遍的知覚として同時に他に対しても適用されるからである。

見えない存在は見える現在から過ぎ去った「過去の存在」なのでも、現前的存在自身の過去なのでもない。なぜなら見えない存在は知覚に現前する存在の「奥行」として同時的次元に、つまり知覚の現在にあるからである。物体Xに過去はない。しかし知覚開示される存在には過去がある。「存在の過去」とは何か、それは存在を知覚開示する「私の過去」であり、私の過去とは、この現在に持続する「知覚経験の記憶それ自体」なのである。見えない存在とは知覚開示される存在自体と直結する存在であるがゆえに、知覚される存在の「知覚経験の記憶」（不在のイメージ）と等価といえる。したがって、一つの存在の見える存在と見えない存在との関係とは、知覚の現在における「知覚と記憶」の関係なのである。見えない存在が見える存在の記憶として現在にあるがゆえに、知覚の現在に何物かの全体像が現象するのである。

純粋知覚と本質知覚

一つの視点から同時並列的に知覚開示される存在の多様な表象は、一つの意識に相互に連関しながら、存在の一面（知覚正面）を構成する。つまり多様な表象が一つの意識に統覚される。奥行を有する存在とは、原理的に多面的存在である。しかし視点のパースペクティブゆえに、我々には存在の多面性を同時に知覚開示することができない。存在の本質規定とは、知覚開示される存在の一面と対応するものではなく、見える面と見えない面を統合する、多面的な存在の全体的相貌と対応するものである。それゆえ存在の一面が、「赤く円い広がり」として見えたとしても、その知覚が本質知覚と断絶した知覚（純粋知覚）であるとするならば、その色と形は何物（皿やコップ……）かの、つまり「皿の形」でも「コップの色」でも、他の何物の色や形でもないということがありうるのである。

見えない領域と思考

存在の見えない領域と内的時間的に対応するものとは、知覚ではなく思考である。思考が知覚に対して超越的であるということは、存在の見える領域を開示する知覚が常に思考の内にあるということなのである。

知覚開示される存在は、接触面、視覚空間に開示されて、そこにある。視点のパースペクティブと直結する見える領域（接触面、視覚空間）に知覚開示される存在は、見える領域と見えない領域に同時にある、一つの存在の一面的（部分的）な相貌として現れる。この部分的相貌が見えない領域への思考の内にあるがゆえに、椅子や机といった何物かとは、部分的相貌から触発され、思考の内に開示される「奥行のある存在」の全体的相貌（全体像）なのだ。それゆえこの全体像は、見える領域に存在を開示する知覚を超えたものなのである。

なぜそこに椅子や机が見えるのか。椅子や机という認識の普遍的概念なくして、私はそこに椅子や机という何物かを見ることができない。普遍概念とは存在の全体に適用される概念である。存在全体の同時多面的知覚が、視点の原理ゆえに不可能であるがゆえに、普遍概念を適用して、そこに一面開示される存在の「存在全体の意味」について我々は考える。その原理的な内的経験において、星座の形に導かれて夜空に星座が見えるように、椅子という普遍概念の全体像がそこに見えるのである。普遍概念に基づく「存在の意味」に対する思考の内に、椅子という存在の全体像が現れる。この全体像が常に個物の全体像として認識されるのは、思考の対象が知覚において個として開示される存在だからである。知覚開示される存在は限定空間（立体空間）において差異化されている。つまり限定空間は存在において固有の歪を有している。いかなる知覚もこの歪を矯正して存在を開示することなどできない。存在の差異を超越した「普遍的椅子」「理想的椅子」自体を思考することは、もちろんできる。しかし「そこ」に「思考された理想的椅子」自体を見ることはできないのである。

「あの椅子」も「この椅子」も、「その椅子」も存在の意味は普遍である。しかしこの普遍が知覚に現象するとき、あの椅子もこの椅子も、その椅子も個物としてある。唯名論者は、個物を普遍の対立物として考えたがゆえに、普遍は知覚経験の対象ではなく、経験できるのは個物としての椅子であり、普遍的椅子とは単なる「名」であって、その椅子には座れないと主張する。しかし普遍と個別は決して対立するものではない。なぜなら、「赤」という色が、あの個物にもその個物にも、「赤い花」「赤い皿」として知覚に適用できるのは、赤という色の意味に普遍性があるからである。私には視点のパースペクティブゆえに、「赤い物」として可能的に知覚される個物のすべてを経験することができないのであり、普遍と個物は対立していない。

重要なのは「赤い円い皿」が見えるというときの、知覚される「皿」とは、物自体としての普遍的「皿」が現象したものであり、個物として経験される「皿」だということである。純粋知覚だけでは「赤く円いそれ（物）」が見えるだけで、何物（赤く円い皿）も見えない。何物かの知覚が本質知覚であるのは、多面的知覚の全体像が一面的知覚（純粋知覚）に対する思考によって触発されるからであり、その思考の内に「物自体（何物自体）」がアプリオリな形式ですでにあるからである。

＊　＊　＊

普遍的椅子が、可能的に存在するすべての椅子という意味であるならば、私には視点のパースペクティブゆえに、普遍的椅子を経験できないが、しかしその可能性は個物の知覚の内にある。知覚される「椅子」とは、現象的に見れば原理的に一つではない。したがってその現知覚は、同時に見えない領域の個物に対する、可能的知覚でもある。この意味において、一つの椅子の知覚開示は、同時に普遍的椅子の可能的知覚開示であり、知覚開示される領域は個物が見える領域を超えて、見えない領域にも可能的に広がっているのである。

構想と物のイメージ

知覚正面に開示される赤や青といった「存在の色」、四角形や円といった「存在の形」とは、物体X自体に備わるものではなく、見えない領域から見える領域へと知覚開示された、物が存在することのイメージ（像）なのである。知覚正面に現象する物が存在することの原イメージは、二次元平面に現象する。しかし「奥行のある物が存在すること」とは、物が三次元空間にあることである。それゆえ「奥行がある物」が存在することの全体像は、知覚正面（二次元的空間）には現れない。つまり知覚できないのである。だからと言って、全体像と原イメージが分断されているわけではない。なぜなら何物かの全体像とは、知覚の原イメージから構想された像だからである。「思考すること」と「構想すること」は等価であり、物体Xにはない存在の意味を構想するためには、知覚の現在に何物かについての「悟性概念」が与えられていなければならない。何物かについての概念が普遍概念として悟性（思考）に持続する形式とは内的時間（記憶）の形式である。記憶とは過去ではなく、知覚の現在にある。知覚と存在の意味についての構想が分断できないのは、知覚と記憶をこの現在において分離することができないからである。想起する今が知覚の現在にあるがゆえに、知覚の現在に与えられる何物かについての普遍概念に導かれて、存在の意味が構想されるのである。椅子や机とは存在の意味であり、存在の意味が何物かについての普遍概念として悟性に与えられていなければ、存在の意味に対する構想が成立しない。重要なことは「存在」が知覚開示される存在だということであり、存在の全体像とは、何物かについての普遍概念を通じて、構想の内に拡張した知覚の原イメージ（像）だということである。私がそこに見る、「赤くて円い皿」とは、構想（思考）の内で拡張した知覚の原イメージ（赤く円い物）なのである。

＊　＊　＊

思考の内に何物かについての悟性概念が持続するのは、記憶がこの現在において持続する内的時間だからである。記憶とは内的時間として「過去」ではなく、知覚の現在に内在しているのである。それゆえ想起する今が、内的時間として知覚の今にあるのであり、知覚と記憶の関係とは、実在する過去と現在の関係ではなく、知覚の現在における内的時間的な関係なのである。「過去の出来事」に対する思考が過去ではなく現在にあるという意味で、想起される「過去の出来事」もまた、過去形で語られる出来事として現在にある。つまり二日前に落として割った「皿」とは、かつて実在した「皿」として過去にあるのではなく、想起される「すでにないもの」として現在にある。それゆえ、「二日前に割れた皿」のイメージが想起（思考）されることのイメージとして、想起する今に現象するのである。つまり「不在のイメージ」が現在において思い描かれるのである。

そこに「赤く円い皿が見える」という現実的体験とは過去形で語られる「不在」ではなく、知覚される「存在」が何物かに生成したことの、内的経験である。知覚正面に「赤い円」を見ることとは純粋な知覚経験であるが、そこに「赤く円い皿」を見ることとは、「皿」という何物かについての内的経験である。「赤い円」という知覚経験のイメージは、知覚において存在する物のイメージであり、その物のイメージが構想され何物かの本質経験のイメージとして現象した「赤く円い皿」とは「存在する物が何物かとして生成する」ことのイメージである。経験的イメージの自己展開とは、知覚するその「こと」によって触発される、構想自身の内的時間軸における自己展開と等価なのである。それゆえ、内的時間が縮小するとき、思考・構想が縮小するのであり、経験のイメージが縮小するのである。想起する「今」とは知覚する「今」であり、それゆえ内的時間は、知覚する「今」において伸長と収縮を反復する。純粋知覚と記憶（内的時間）の縮小、そして何物かについての内的経験と記憶の拡大は内的に直結している。つまり、知覚の今にある記憶（内的時間）が収縮するとき、知覚される存在の一般的な像が現れ、伸長拡大するとき、何物かについての内的経験の記憶が想起される知覚の「今」において、一般的な知覚のイメージを超越した、より個性的な存在のイメージが現れるのである。

重要なことは「記憶」とは「私の記憶」だということであり、私の記憶が縮小するということがこの私を、知覚において存在する物の領域へと閉じ込めることだということである。それゆえ記憶が拡大することが、私を物の領域から引き離し、純粋知覚を超えて何物かを求める、精神の領域（思考・意識の領域）へと私を引き上げることになるのである。

＊　＊　＊

私が見る物の姿とは、物が存在する姿であり、物が存在することは知覚において開示される。知覚される存在の姿は、存在の奥行ゆえに、視点の指向性によって多様に開示される。重要なことは、知覚と記憶が不可分離だということであり、知覚する今が同時に想起する今だということである。それゆえ、存在の今を開示する現知覚には、その知覚以前に開示された存在の姿が、記憶という内的時間において重層的に現知覚に与えられる。色の普遍的色である「赤」は、一つの場面の唯一の赤ではなく、多様な場面の多様な赤の一つとして現象する。つまり多様な場面の多様な「赤」の、知覚経験の記憶の層の内に、赤色の現知覚があるといえるのである。知覚のこの重層化ゆえに、知覚される赤が、存在の多様な場面において、「夕日の赤」「電気ストーブの赤」「信号の赤」という構想された「赤色」として現象するのである。

構想の記憶、それは再構想を可能にする増大した記憶である。それゆえ、この増大した記憶が縮小するとき、「夕日の赤」は、より一般的な「赤」となり、そして構想の記憶へと増大するとき、「夕日の赤」というより個性的な赤となるのである。

＊　＊　＊

物が存在することを「赤く円い皿」として構想した、その内的経験の記憶が縮小するということは、構想したことから、何物かの悟性観念が忘却されると、存在は「赤く円いそれ」として一般化されるということである。さらに知覚から「赤」や「青」といった色概念の普遍的意味と「円」や「四角」といった形体概念の普遍的意味が忘却されるならば、「赤く円いそれ」は「輪郭のあるそれ」としか言いようのないものへと、経験の地平で一般化されるのである。つまり知覚経験の底辺で一般化される。輪郭のある「それ」こそが、ウィリアム・ジェームズの言う純粋経験の対象なのであり、私は純粋経験の領域において、存在の地平にある物へと最も接近するのである。重要なことは、記憶が数々の忘却によって縮小したとしても、知覚と記憶―想起との内的関係自体は失われないということである。それゆえ知覚経験以外の内的経験(思考体験、構想体験)の記憶が失われたとしても、知覚したこと自体の記憶は、知覚から失われることはない。輪郭のある「それ」に対する純粋経験の記憶とは、知覚したこと自体の最も縮小した記憶なのであり、存在の地平にある物に対する最も古い記憶なのである。ベルグソンは『物質と記憶』の中で述べている。「われわれの数々の想起は、記憶がよりいっそう収縮するときにはよりありふれた形をとり、記憶が拡大するときにはより個性的な形をとる……」つまり、記憶がよりいっそう収縮するとき、想起に現れる知覚の記憶は、よりありふれた一般的な形となり、記憶が拡大するとき、想起に現れる知覚の記憶は、構想された知覚の記憶として、より個性的な形となるのである。

ベルグソンはさらに次のように述べている。

「純粋知覚から記憶へと移行することで、われわれは決定的な仕方で物質を離れて精神へと向かう。」※アンリ・ベルクソン著、合田正人／松本力翻訳『物質と記憶』（二〇〇七年 筑摩書房）

なぜ、純粋知覚から記憶へと移行することが、物質を離れて精神へと向かうことになるのか……。

知覚する私があり、知覚される存在がある。存在の過去とは知覚する私の過去であり、「私の記憶」として知覚の現在にあるがゆえに過去と現在の反省的関係は、内的時間である記憶と想起の関係なのである。純粋知覚とは、「赤い物」「円い物」それ自体の直観に終始する、内的時間の収縮した、反省されない（思考されない）知覚である。それゆえ、純粋知覚から記憶へと移行することとは、知覚を反省することなのである。私はこの反省において「存在する物」から離れ、「物が存在することの意味」を希求する者と成るのである。固有の内的時間的存在である「反省する一者」が反省（思考）を通じて「物が存在すること」の普遍的意味を求める者であるがゆえに、「反省する一者」とは自らは決して存在の意味を求めない「物質存在」と純粋に対峙する、固有の精神だといえるのである。

私が意味を求める固有の精神だからこそ、私には「椅子」や「机」といった何物かが見えるのであり、「赤く円い物」として存在する物が見えるのである。

存在の要素

形体概念の意味に導かれなければ、星が無数に点在する夜空に、星座を見ることができない。また「赤」や「青」といった色概念の意味に導かれなければ、光の波調に起因するさまざまな空間的印象を、「赤い印象」「青い印象」として視覚的に分類することができない。形体概念の意味も、色概念の意味も物質世界には実在しない。意味とは私という固有の精神の道標なのである。知覚が「概念の感性化」であるのは、知覚するということが、内的時間軸における私の内的行為だからである。

知覚される存在とは「赤く円い物」であって、物体Xではない。何物かが存在する世界にとって重要なのは「物体X」ではなく、「赤く円い物」を存在させる、存在の外的・内的要素なのである。外的要素とは、物体Xに反射するさまざまな波調の光であり、接触面で身体と同調するさまざまな物理的振動である。感性界は原理的に身体感覚と外的要素との同調、および同時性において開示される。しかし、そのことだけでは、感性界が漠然とした「感覚的印象」としてあるだけである。感覚的印象ではなく、「赤く円い皿」が感性界に現れるためには、赤や青といった色概念の意味、円や三角形といった形体概念の意味が、つまり内的時間において持続する内的要素が必要なのである。

存在の要素とは、例えば「赤く円い物」と対応する要素である。ここで重要なことは、「赤く円い物」とは現象する物であって、実在する物ではないということである。外的要素とは、現象の外的要素であるがゆえに、この外的要素とは、原理的に物を限定する空間（限定空間）に反射するさまざまな波調の光であり、接触面（限定空間）の物理的振動なのである。

物体によって限定される空間とは、物体をその曲率によって限定される空間でもある。物の奥行は空間の曲率と対応するものであり、知覚正面に現れる「赤く円い物」とは、曲率を有する三次元空間に現れた、見かけの二次元空間的表象なのである。

空間はその曲率によって物の空間的なあり方を規定する。この意味において、空間とは物の根源的な外的要素だといえるのである。

理想と現実（物自体と現象）

白い紙の上に私が一本のコンパスで描いた「白い円」とは、カントの言う物自体（円自体）が紙上空間に現象したことを表す、「白い円」だといえる。紙上に現れた「白い円」とは、三次元空間に現れた見かけの二次元的表象である。なぜなら、空間の曲率と対応しない、「厚さ（奥行）」のない紙など存在しないからである。また空間の曲率は限定空間において一様ではないがゆえに、その奥行（厚さ）も一様ではない。それゆえ、空間が曲率を有する三次元空間であるならば、私が紙上に描く「白い円」に限らず、現象するすべての「円」は歪んでいるといえるのである。

物自体としての「円」が「歪みのない絶対的な円」として思考空間にあるならば、中心点からの距離が円形のどの点においてもすべて等距離である「歪みのない絶対的な円」がある思考空間とは、原理的に曲率0の絶対空間だといえる。曲率0の絶対空間とは、数学的思考の産物であるがゆえに、その空間において、いわゆるユークリッド幾何学の公理が成立する。つまり三角形の内角の和の公理、平行線の公理、二点間の直線に関する公理等の「公理」が成立するのである。しかしユークリッド的な平面幾何学が、非ユークリッド的空間幾何学の見かけの幾何学であるならば、「公理」もまた現実には世界のいかなる場においても成立しない、思考上の見かけの公理だということになる。

＊　＊　＊

身体との同調、同時性において開示される視覚空間、触覚空間こそが、我々が生きる原基的な生の空間（非ユークリッド空間）であるならば、理想的な何物（物自体）かの現象的現実は常に歪んでいる。この意味において物自体（何物自体）が認識できないのであって、物自体が意識の背後、現象の背後にあるから認識できないという問題ではないのである。

カントの言う物自体とは、無規定、無意味の「物体X」ではなく、赤いもの、円いものとして純粋知覚される存在が「何物であるのか」を規定する、普遍概念である。つまり椅子自体、机自体としてある「何物自体」なのである。「何物自体」とは知覚される存在の意味として思考された「物」なのである。それゆえ普遍的な椅子自体、理想的な椅子自体は「何物自体」として思考空間（絶対空間）にある。しかし何物自体が個物として現象する、その現象空間とは、存在の奥行をその曲率において規定する非ユークリッド空間である。なぜ、白い椅子がそこに見えるのか……。知覚における見かけの二次元的存在が、思考を触発するからであり、その思考において、「その見かけの存在が思考される何物自体（椅子自体）の一面的現れとして、超越的に認識されるからである」。それゆえ私には、その見かけの存在（二次元的存在）を通して椅子がそこにあるかのように見えるのである。

＊　＊　＊

幾何学的公理が成立する絶対空間（ユークリッド空間）を真の空間だと考えるとき、我々はそこ（紙上）に「個物としての完全な円」を描くことができると考え、「個物としての完全な円」という観念を持つ。しかし私が経験する、曲率のある非ユークリッド空間こそが真の空間であるならば、私が経験する個物としての円とは、非ユークリッド空間に現象する円である。現象する円から観念としての理想的な円を思考することができても、観念としての完全な円自体を現象させることができない。

私が経験する二次元空間とは、非ユークリッド空間における見かけの空間であり、その空間にある「完全に見える円」とは、見かけの観念としての円であって、現実には非ユークリッド空間に現象する歪んだ円なのである。

知覚される存在の色とは、概念の感性化によって現象した観念としての色である。重要なことは感性的空間が非ユークリッド空間だということである。私には原理的に「理想的な円や机をそこに現すことができる」という観念が知覚に先行して与えられている。そしてその思考の内にある知覚は、視点のパースペクティブと知覚空間（非ユークリッド空間）を超えることができない。それゆえ知覚正面に表れる現象とは、常に存在の一面的現象なのである。それゆえ一面的現象として知覚される「赤いもの」「丸いもの」とは、知覚されることのない何物かの一面的現象として位置づけられる。この位置づけと何物かについての思考によって、私は観念としての椅子や机の一面的現象を経験するのである。それゆえ私が生きる知覚空間と現象世界には、歪まない理想的なものなど、どこにも存在しないのである。

物体は空間の幻影か……

限定空間が、一様でも均一でもない曲率によって物体を限定する非ユークリッド空間であり、そして存在の外的要素が、限定空間と根源的に相関する外的要素であるならば、その要素との内的同調（知覚）によって現象する存在とは、限定空間（非ユークリッド空間）に投影された知覚の印象だということになる。

そこに見える「赤い物」「円い物」とは空間に投影された知覚の印象なのであり、それゆえ知覚される存在とは純粋に物質的なものでも、純粋に精神的なものでもないのである。

＊　＊　＊

知覚の対象領域とは、限定空間の領域である。そして視点のパースペクティブゆえに、対象の現象領域は限定空間（非ユークリッド空間）の一側面に限定される。つまりその現象領域に、知覚される対象の全体は現れない。それゆえ知覚の対象領域には、椅子や机は存在しない。存在の「赤さ」「丸さ」は純粋に知覚されるが、しかし「赤い椅子」「丸い机」といった何物かの存在は、知覚の対象領域にはない物なのである。知覚をその対象領域に限定すれば、存在の「赤さ」「丸さ」といった存在の見かけだけが知覚される。しかしその赤さ、丸さに伴う質感が物質的なものでないのは、知覚が思考（観念）、記憶、想起といった内的時間の内にすでにあるからである。それゆえ知覚される見かけの存在が、思考された何物かの見かけの存在として現象するのである。つまり存在の意味が、存在を思考する場に現象するのである。存在の意味を求める私自体は、思考する場（内的時間）にある内的時間的存在であるがゆえに、私が現に存在する意味は、決して何者（労働者、実業家、スポーツ選手……）かとして現象することはないのである。思考する私は知覚される存在する物ではないがゆえに、思考される何物でもないのである。

＊　＊　＊

私がそこに見る存在の「赤さ」「丸さ」とは存在の色の意味であり、存在の形の意味である。意味がなければ私は存在の色や形を見ることができない。知覚される存在の赤さ、丸さに伴う固有の質感とは、意味を意識する、私の意識の質感である。私は固有の質感を超越した存在の絶対的な赤さ、丸さを経験することができない。「絶対的に赤い存在」といっても、その赤の絶対性とは、いかる赤との比較における絶対性なのか……。私が経験する固有の質感を有する赤とは、その固有性ゆえに「それぞれの赤」があるだけで、絶対的な赤などないといえる。存在の赤さの質感とは、存在の質感の一つである。存在の絶対的な色の意味や絶対的な形の意味などないがゆえに、知覚される絶対的な存在もまたない。しかし私は、経験する赤の「赤さ」(質感)から、経験できない「赤さ」(質感)のない「赤」について思考することができる。経験についての思考は現実的である。そして理想や絶対についての思考は、思考の対象が知覚経験の対象ではないという現実を知るという意味で現実的なのである。

絶対的な現象といったものはない。したがって絶対的な現象を保証する「絶対空間」もまたないといえる。なぜなら、現象する「存在の形」とは可変的な曲率を有する「限定空間の形」だからであり、限定空間こそがそこにおいて私が何事かを知覚し経験する、生きた空間だからである。ユークリッド幾何学は思考空間と曲率のない絶対空間を等価な空間と見なし、そして絶対空間（曲率ゼロの空間）こそが真の空間と考えることで、幾何学的真理が実在することを保証するのである。いかなることかといえば、例えば私が「絶対に交わることのない真の平行線」について考え、その平行線を思い描くとき、その「平行線自体」は絶対空間における、幾何学の公理として実在するのである。

平行線の公理と直線の公理

（A）任意の二つの点を結びつける、
ただ一本の直線がある。

（B）ある直線上にない一点を通り、
その直線に平行な直線は、
ただ一本だけ存在する。

空間が曲率ゼロの絶対空間であり、世界が絶対空間に基づく二次元世界であるならば、ユークリッド幾何学の公理Ａ・Ｂは世界の真理だといえる。しかし、私が知覚し経験する視覚空間、接触空間は、曲率を有する非ユークリッド的空間である。視覚と共にその空間に立ち上がる物、触覚と共にその空間に立ち上がる物には奥行がある。奥行のある物が、可変的な曲率を有する非ユークリッド空間の部分的空間（限定空間）の形だと考えるならば、非ユークリッド空間自体が、全体として何らかの形を有する空間だということになる。つまり空間自体のその曲率が空間に形を与えると考えるならば、曲率のない絶対空間に形はない。それゆえユークリッド幾何学の公理は二次元の絶対空間（絶対平面）でしか成立する場がないのである。しかしそのような場が、この世界のどこにあるというのだろうか……。

＊　＊　＊

存在する物に奥行があるということが、空間に曲率があることの証左であるならば、その曲率が一定であるか可変的であるかに関係なく、平行線や二点間の直線が作図される「場」が絶対空間（絶対平面）であることは、原理的にありえない。空間の曲率が均一で一定だと仮定するならば、その場もまた一定の曲率を有する。それゆえ、その場に作図される二点間の直線は一本ではなく、平行線は延長戦上で交差する。つまりユークリッド幾何学における公理Ａ・Ｂは現実には成立しない、見かけの公理なのである。この意味において、「平行線自体」は「完全な円」と同様、空間の経験的現実性を持たないのである。

我々の経験の場には、経験・知覚における「絶対的なもの」「完全なもの」は、「神」がそうであったように、幾何学においても実在しないのである。

＊　＊　＊

一つの視点から、現象するあらゆる見え方を記述（作図）する方法はない。我々の知覚正面に投影される存在の見え方とは、あらゆる見え方の中の一つに過ぎない。それゆえ、一つの見え方を示して、それが存在の絶対的な見え方だと断定することができない。世界の見え方の記述を、観測点A_1からは光の波長C_1が、観測点A_2からは光の波長C_2が、観測点A_3からは光の波長C_3が観測されるとして、客観的に記述したとしても、その記述は「私の視点」からの「知覚的記述」ではない。つまり観測される世界の物理的記述の内には、私の視点も知覚内容もそのいっさいが排除されている。私の視点からは、逆に客観的な世界記述から排除された知覚内容（知覚の光景）が見えるのであり、観測点から観測された光の波長（電磁波）もその振動も私には見えないのである。そして、さらに重要なことは私が経験する知覚経験には、視覚空間、触覚空間における赤の赤さ、球体の丸さといった固有の質感が含まれるが、客観的観測の物理的記述には、空間的運動の数学的記述があるだけで、私の経験する空間（非ユークリッド空間）の、その経験的質感は記述されないのである。この意味において、私が生きる生の空間において知覚される「赤く円い皿」は、観測点Pに含まれない「私の今ここからの視点」から知覚される物なのである。これを別の言い方で言えば、物理世界の観測点Pからは、空間の移動距離・速度、運動エネルギー、質量等が観測されても、決して物が何物かとして存在することの「意味」は観測されないということなのである。つまり観測点Pは、何物かを知覚する私の視点ではないのである。私は固有の質感を通して空間（非ユークリッド空間）を経験するのであり、思考・数学的空間（ユークリッド空間）は、知覚される空間ではないという意味で、赤さ、熱さ、滑らかさといった質感を有する、「生きた空間」ではないのである。

ざらざらとした質感を有する空間を私が経験するということは、空間の不均一な曲率を知覚するということである。重要なことは、空間の曲率なくして私が触れる物の曲率（奥行）もたないということであり、それゆえ物の曲率（奥行）とは、空間それ自体の曲率によって限定された空間と等価だということである。空間と物との関係をこのように考えるならば、曲率のない空間には「奥行のある物」が生成しないがゆえに、曲率のない絶対空間・ユークリッド空間は、やはり実在的な空間ではないのである。曲率がなく、物質と無関係にそれ自体としてあ

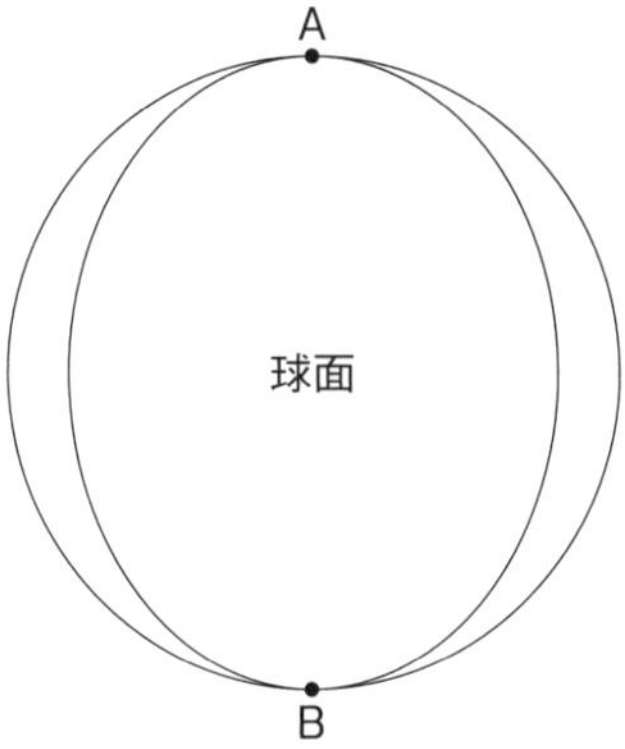

るような空間などないのである。
　空間の曲率が大きいか小さいか、不均一か均一で一定であるかにかかわらず、物の曲率と空間の曲率が等価であるならば、つまり物の曲率が空間の曲率に従属するならば、作図する線分の曲率もまた空間の曲率に従属すると考えられる。このように考えると、ユークリッド幾何学の公理は成立していない。
　作図する空間平面に曲率があるならば、図のように二点間の直線は無数にあり、平行線は両端で交わる。

A
球面
B

図１　非ユークリッド空間

変化と時間

「曲率がなく、物質と無関係にそれ自体として実在する空間」、このような絶対空間が実在するのかという問題は、「絶対時間」とも直結する問題だといえる。絶対時間が、「今現在の変化と運動を超えて、過去から未来へと流れる止められない時間」だとするならば、私が経験する出来事の変化も、このような時間の内にあるのであろうか……。

＊　＊　＊

私が紙面（非ユークリッド空間）に円を描くのに要した時間とは、物自体の円の現象を経験する経験的時間である。この経験的時間は、微小線分から円へと変化する空間的変化と不可分の時間である。つまり空間化された時間なのである。私が経験する「変化」とは空間化された時間におきる変化であり、この変化が現象であるのは、概念が感性化される場が非ユークリッド空間だからである。重要なことは、私が経験する「変化」が、線形時間における「過去から未来」への、時間の絶対的変化（流れ）の内にあるのかどうかということである。

私が紙面に円を描くのに5秒かかった場合、4秒前の事象から見れば2秒前の事象は未来の事象であり、4秒前の事象と2秒前の事象の過去と未来の順序を逆転することができない。それゆえ微小線分から円形への変化は、過去から未来への時間の流れが作り出す変化だといえる。しかしこれは、あくまでも線形時間を真の時間だと考えた場合の想定である。なぜ想定なのかといえば、誰も過去の視点に立脚することなどできないからである。過去の経験的記憶を想起するとき、私は過去の視点に立っているのであろうか……。

想起と共に夢のように浮上する過去の光景、例えば3年前の山登りの光景とは何か、それはこの現在に過去が再現されたことを意味しない。また想起という過去の視点を通じて、過去空間を直視しているわけでもない。過去空間は現在空間（非ユークリッド空間）と意味的に連関しているが、しかし実在的な関係性はない。それゆえ「変化」が実在的であるならば、その変化は過去から未来へと続く変化ではない。変化の実在性は変化する今現在にあるがゆえに、変化の可能性もまた未来ではなく、今現在にある。「氷が溶けて水に成る」という変化は、変化した水を知覚する以前のものの状態が記憶され、その知覚と記憶において前後の経験が比較されることで認識される。重要なことは、知覚と記憶において前後の経験が比較されることで、私は初めて「時間の経過」を認識する、と言うことである。そして前後の経験が比較されるためには、知覚の今において前の記憶が想起されなければならない。変化の認識とは、記憶と想起の内的時間の枠の中で、知覚する今を思考し、認識することなのだ。

知覚の今に対する認識・思考が記憶と想起の内的時間の内にあるがゆえに、想起とは過去の視点ではなく、知覚する今現在の視点なのである。記憶とは想起する今との意味的関係においてて、「過去の記憶」として「想起する今」と連関しているが、しかし記憶の内に「過去自体」はない。つまり、三年前の交通事故の経験を想起しても、そのとき経験した足の痛みは再現されないという意味で、想起される記憶の内に「過去自体」はないのである。過去と実在的な関係がない記憶の内容とは、内的に保持されている、知覚時に感性化された概念（観念）によって想起する今に構成される「物語」である。それゆえこの過去物語は過去にはなく、現在の視点である想起の対象として現在にある。この意味において「記憶」とは、想起する今現在にある内的時間なのである。記憶の内容（過去物語）が、7年前のものであっても昨日のことのようにありありと感じるといった想起体験が生じるのも、記憶が想起する今現在にある内的時間だからである。記憶の内容が7年前であろうと7秒前であろうと、記憶自体は想起する今現在にあるのである。

差異と変化

変化とは想起する今にある記憶という内的時間に基づく前と後の比較によって認識される時間である。想起する今が知覚の今にあり、記憶が過去ではなく現在にある内的時間の形式であるならば、変化という時間は線形時間軸における過去から現在への変化を意味しない。変化という時間を考える上で、それをいかなる時間軸において捉えるかは根本的な問題だといえる。

紙上に描かれた円とは、円という物自体が紙上という経験的空間（非ユークリッド空間）においてて現象した「物」であり、経験的空間（紙上）において微小線分から円へと変化した

「物」である。それゆえ変化とは「空間化された時間」なのである。重要なことは、円を描く私の「行為的変化」と微小線分から円への「物の変化」、そして変化する対象を意識する、「意識自体の変化」が同一の空間化された時間だということである。

ヘーゲルによれば、意識される円とは、経験的空間に定有する意識の形であり、経験的空間とは、普遍的精神が固有の意識の形として現象する、時間が空間化される場なのである。ヘーゲルによれば微小線分から円への変化とは、自己肯定と自己否定の弁証法に基づく、意識の形態の発展的変化なのである。

ヘーゲルは変化を「意識の変化」だと考え、そしてその「変化」を線形時間軸において捉えたがゆえに、意識の変化を過去から未来へと歴史的に進歩・発展する意識の自己展開と考え、意識の変化を目的論的に捉えたのである。変化する個別的な意識とは、普遍的意識から疎外された意識であり、それを克服して普遍的意識へと合一せんとする意識である。それゆえ変化する個別的意識の目的とは、個別的意識の形体を弁証法的に解体し変化させることで、普遍的意識の形態である共同体意識（国家意識、階級意識、民族意識……）へと進化することを意味する。しかし意識とは何なのか……。

意識とは何か……。意識は二元論的に物質と対峙する精神のように（そのような精神など実在しない）、知覚と独立にあるものではない。我々が変化を知覚できるのは、現知覚と以前の知覚経験の記憶を、想起する今（知覚する今）において比較するからである。記憶に基づく前後の比較ゆえに、「変化」という時間認識が可能となるのである。重要なことは変化の知覚と同時に変化が意識されるのは、意識自体が知覚する今から生起する内的時間の固有の形である、想起・記憶の作用だからである。つまり意識とは「知覚の現在」において完結する内的時間なのである。意識される変化が、記憶に基づく「前後の知覚の比較」によって生起するならば、変化とは差異化である。この差異化こそが変化の必然なのであり、この必然性は意図的、意識的に変えられるものではなく、この差異化に目的などない。知覚の現在におけるこの差異化（変化）を線形時間軸において捉えたとしても、過去と未来はただ違っているだけであり、差異化の目的が未来にあるわけではなく、差異化に進化・進歩などといった意味など微塵もない。

内的時間であり知覚する今と不可分の意識が、知覚から独立して自己を展開することなどありえない。意識とは知覚の今現在において記憶・想起の作用として生起し、そして想起する今（知覚する今）の消滅とともに消滅する。それゆえ内的時間である意識は、今現在の意識であり、過去から未来への時間の流れとは無関係である。ヘーゲルは現在を精神が過去から未来へと発展する場と考え、意識を現在に精神を留める錨のように考えていた。しかし内的時間である意識を今現在に留めるのは「知覚」である。現知覚から独立した、自律的意識などありえないのである。知覚する「今」から独立して、過去から未来へと歴史的に進化する「意識の物語」（例えば階級意識）など実在しない。

意識とは形なき内的時間の形であり意識とは徹頭徹尾、知覚の今現在の意識である。意識の変化を線形時間軸において捉え、その変化を過去から未来へと歴史的に進化する、自由意識の発展過程だと想定するへーゲルは、歴史を「進化」という概念を用いて解釈することで、「精神の進化」ということを考え、現在を過去から未来へと進化する自由精神（自由意識）が具体的に発現し発展する場であるとした。しかし、歴史を進化・進歩という概念を用いて解釈することに、根拠などない。そして精神の進化という根拠なき想定に基づく、「自由という目的を持って歴史的に展開される精神」が歴史を動かした事実もないのである。

変化とは差異化であり、「前の事象と後の事象はただ違っているだけ」である。両者を比較して、その変化を進化・発展として捉えることは結果から見た単なる事後判断（結果論）に過ぎない。差異化に目的などない。

いわゆる進化論では、生存にも有利な変化もあれば不利な変化もある。必然の進化などなく、生の今現在における不断の差異化（変化）が環境の変化に適合したのはまったくの偶然なのである。変化の本質とは進化ではなく差異化である。この差異化自体は無意味な必然であるがゆえに、その結果は偶然なのである。

知覚の変化

「氷が溶けて水になる」という変化の記述は、物体Xを構成する原子の運動の変化を記述したものではない。同様に「赤から青への色の変化」もまた、光の波長の物理的変化を記述したものではない。氷が溶けて水になるという変化も、赤から青への色の変化も物理的変化ではなく知覚経験の変化を記述したものであり、光の波長の変化は私が存在しなくても記述可能であるが、知覚経験の変化は「経験する私」の存在なくしては記述不可能である。つまり知覚される変化とは「概念の感性化」を通じて赤い色を経験するこの「私」の内的行為から導かれる「色の変化」であって、私という存在を排除した物理世界の変化から導かれるものではないのである。

物理世界の変化と知覚世界の変化、この差異化は知的偶然の結果なのである。物理的変化ではなく知覚的変化に適応する方が、我々の生存にとって有利だったからである。我々は実在世界（物の世界）に生きることよりも、知覚世界に生きることに適応した存在なのであり、この適応は言語を有する知性に基づくが、知性もまた偶然の産物なのであり、知性を進化の産物と考えることも結果論でしかない。差異化に目的（理想的で善き進化）などない。

記憶と知覚

知覚の今において、知覚の今にはない過ぎ去った経験を思い出すことがなぜ可能なのかといえば、記憶が過去ではなく、知覚する今現在に内的時間の形式としてあるからである。それゆえ記憶と直結する想起もまた、内的時間の形式なのである。知覚する今と現在の今が等価であるのは、想起の起点である知覚する「今」において変化が意識されるからである。現知覚とそれ以前の知覚経験の記憶が、知覚の「今」において比較可能なのは、想起の起点が知覚する「今」にあるからである。

＊　＊　＊

「赤い夕日」の赤らしさが、知覚の今において色の質感として意識されるのは、現に知覚される赤色が、私が経験した赤色の系列の内にあるからである。知覚される赤色は知覚された赤色と不可分であり、存在のイメージである知覚される赤色と、不在のイメージとして記憶されている赤色が知覚の今において対比されるがゆえに、その対比によって知覚される赤色の「赤らしさ」、つまり「色の質感」が意識されるのである。色の質感とは、その対比によって意識される、赤色の独自性なのである。つまり色の質感とは色体験の独自性として意識される、一般的知覚を超えたものなのだ。それゆえ赤の赤らしさは「赤い夕日」「赤いバラの花」といった知覚の一般的記述の内には包まれないのである。

想起が記憶を知覚する今に留める内的時間の形式であるならば、意識とは想起の作用が知覚の今に記憶を溜めることで「知覚の今に」発現し、知覚の今において「知覚すること」と「知覚したこと」を同時に把握する内的時間の形式なのである。知覚の対象を意識しつつ、知覚の今に充満する意識の深さ、広がりとは知覚の今において開示される現在と過去の深さであり広がりなのである、過去とは記憶であり、記憶とは過去にはなく、知覚の今現在にある内的時間なのである。それゆえ意識とは今現在の意識なのである。

変化とは以前の知覚経験と現知覚経験が、知覚の「今」（想起の今）において比較されることで意識される。記憶とは知覚の今現在に持続する内的時間であるがゆえに、変化とは過去から現在への変化ではない。「氷が溶けて水になる」「信号が赤色から青色へと変わる」といった知覚の変化は、今現在の変化であって、過去から現在への変化ではないのである。「氷が溶けて水になる」ことを意識する、この意識の物語は現在の物語であって、過去から未来への時の流れのもとにある、歴史的な意識の物語などではないのである。

現在において発見されるさまざまな生物の化石や遺跡、そして古文書等は、あくまでも現在における記憶の形なのであって、それ自体は過去ではなく過去を意味しない。過去がすでにないからこそ、現在にその記憶があるのである。それゆえ歴史とは、現在にある記憶と現知覚との対比の上に、この現在において「構成」されるものなのである。

現在を歴史的に束縛する、歴史の弁証法的な必然など実在しないのである。我々が化石や遺跡から読み取ることとは「差異」であり、差異化自体に目的がないという意味でそれは偶然であるが、同一の事象は一つもないという意味でそれは必然なのである。

＊　＊　＊

現象と意識の行方

紙上に書かれた「円」とは、円という物自体が紙上という限定空間と微小線分から円へと変化する時間において現象したものである。この意味において経験を構成する時・空間と知覚を構成する時・空間は等価だといえる。

ヘーゲルにとって円という物自体と紙上に現象する円との関係とは、普遍的なものと個物化したものとの関係なのである。ヘーゲルによれば個物化とは、普遍が経験の現在に定着することである。ヘーゲルは円の定着を精神が自己の活動を通して存在を己の内面に定着させることだと考えた。ヘーゲルの言う精神とは普遍精神のことであり、円の定着とは、普遍精神がその個別的精神である「私」の活動（紙上に円を描く）を通して、存在を己の内面（知覚を構成する時・空間）に定着させることである。ヘーゲルはこのように考えることで、定着する円を、普遍精神が作り出す個別的な意識の形だと規定した。定着の形とは普遍的精神が固有の意識として知覚の現在に定着するときの意識の形なのである。個々の意識の形は個別的精神（私）の活動によってさまざまに形を変えながら、私と共にこの現在から消滅するが、普遍精神自体は過去から未来へと永続するとヘーゲルは考えた。しかし、知覚の現在を構成する時・空間のいったいどこに、知覚の指向性を、この私を超えて導く普遍精神なるものが実在するというのだろうか。

普遍精神を国家の意志、民族の意志、階級の意志、革命精神等と呼び換えても、そのようなものなど、この世界には実在しないのである。知覚世界を構成する時・空間の外などなく、外から知覚世界を意味づける超越的世界などない。また知覚の今現在が実在する過去から意味づけられることも、目的が未来に決定されていることもない。それゆえ知覚世界を、普遍と個物の関係性において捉え、個物に対する普遍の永遠性を主張することで、時空を超えた超越的世界（普遍世界）の実在を示そうとする、そのいっさいは虚構なのである。

知覚世界には、絶対的なものなどなく、世界を超えて永続するものもない。知覚世界を構成する空間（限定空間）は、その空間を規定する身体の消滅とともに消滅し、知覚世界を経験し意識する私（現存在）は過去にも未来にも実在せず、知覚の今現在にある内的時間的存在として、内的時間（記憶・想起）の消滅によって今現在とともに消滅するのである。

時・空間の差異（根源的な差異）

経験を構成する時・空間とは内的時間であり、限定空間である。この時間と空間の差異が現在において「知覚と記憶の差異」として現象する。私が経験する変化（知覚の変化、意識の変化、思考の変化）のすべては、経験を構成する時間（内的時間）と空間（限定空間）における現象である。それゆえ変化とは、線形時間軸における時制的変化ではなく、知覚と記憶の差異に基づく、知覚の今現在における経験の差異化（変化）なのである。変化を線形時間軸において捉えるとき、変化の目的としてある、絶対的進化なるものの幻を我々は見るのである。

「赤色の赤らしさ」とは、刺激量と対応する感覚量を超えた「知覚の質感」であり、この質感は現存在（内的時間的存在）である、この私が意識するものであって、客観的に観測（計量化）されるものではない。この意味において意識とは知覚される「存在」と知覚の今現在において対峙する非物質的（精神的）なものなのである。重要なことはこの超越こそが、知覚世界における超越のすべてであり、それ以上の超越はないということである。それゆえ、精神的・非物質的なものもまた現存在の消滅とともに消え去るのである。

＊　＊　＊

量と質感

量と質の問題とは、「物質の運動エネルギーがどれだけ増大すれば、物質が存在の意味を持つのか……」とか、「物の質量がどれだけ増大すれば、量が質へと変換するのか……」と唯物論的に提起される問題ではない。

質感とは唯物論者が考えるような自然発生的なものではない。質感とは実在世界（物質世界）にあるものではなく、概念の感性化に基づく知覚世界に特有のものなのである。色を知覚するときの「赤の赤らしさ」、音の変化をメロディーとして知覚するときの「音の質感」、また感覚的刺激を痛みとして知覚するときの「痛みの痛さ」、これら知覚に伴う質感は知覚世界にあって、実在世界（物質世界）にはないものなのである。それゆえ、実在世界の量的変化と知覚世界の知覚の変化は同一視できないのである。

＊＊＊

十本のローソクの光に一本のローソクの光を加えると、全体の光の明るさが変化（増大）したことがわかる。そして百本のローソクの光に一本のローソクの光を加えても、光の明るさに変化が認められないが、十本のローソクを加えると全体の光の明るさが変化する。このことから、「感覚量は刺激量の変化に相関する」という、感覚と刺激の量的・数理的関係が導き出される。つまり感覚量は刺激量の変化に相関して「変化」するのである。しかし私が知覚する「変化」とは、見えない光（電磁波）の数量的変化ではなく、オレンジ色に輝くローソクの炎の「明るさの変化」である。私が知覚する「明るさ」とは電磁波ではなく、知覚される「何物かの明るさ」である。したがってここで問題となるのは変化であり「変化の意味」である。刺激量と感覚量の数理的関係だけからその意味は導き出せず、また変化は記憶とも深い関係がある。

刺激量の変化に相関する感覚量とは、ローソク十本に一本を加えた時点で、電気・化学的信号へと変換された光（電磁波）の同調量である。問題なのは、誰が「変化」を捉えるのかということであり、脳が今はない「過去の物体」の形状を記憶できるのかということである。

脳は過去の物質の形状を保存することができない。いかなることかといえば、脳が保存するのは徹頭徹尾、「現にある物体」の形状（信号パターン）である。脳は過去の物体ではなく、「現在の物体」の形状変換（信号パターン）を、現在において保存（形状記憶）する。重要なことは、形状記憶とは外的時間であり、脳が捉えることができない「変化」とは、外的時間の内的時間規定に基づく「変化」なのであり、問われるのは「何が変化したのか……」ということである。私が経験する変化とは、電気的信号へと変換された光（電磁波）の同調量ではなく、内的時間規定によって現象（概念の感性化）した光（ローソクの光）の変化なのである。脳は「知覚経験」を形状変換できない。それゆえ「現象した光」の明るさには知覚の質感があるのである。この質感は、私が知覚する明るくなったローソクの光に伴う、「明るさの質感」なのである。それゆえこの質感は、眼の網膜に到達した光（電磁波）を電気信号へと変換し、神経インパルスとして保存する、形状記憶物質（脳）を観測しても決して捉えられないのである。記憶物質である脳が保存するものとは、電気・化学信号として変換された、徹頭徹尾、今現在の物質である。記憶物質である脳は、刺激量の変化に相関する感覚量を、変換された信号の量として保存するが、しかしその量が一定の量に達したら、信号量が脳内で「質」へと変換されることなどありえない。知覚の質感を意識するのは、この私である。この意味において私は物ではない。徹頭徹尾、物質である脳が知覚されたものの質感を意識することなどない。質感の問題は身・心の問題を考える上でも、重要だといえるのである。

＊　＊　＊

「存在するとは知覚されることである」と言ったバークリーは正しかった。知覚される存在である「赤い物」とは、「概念の感性化」によって時・空間に現象した物である。「知覚世界に現象した何物かの存在には量と質がある。しかし実在世界にある物体Xには量だけがあって、質はない」。「物体X」の運動量・エネルギーがどんなに増大しても、増大した運動エネルギーが、「物体X」が存在する意味や知覚の質を作り出すことはない。

一個の物体が有するエネルギー「E」が、たとえ「$E=mc^2$」という関係式（物体の有するエネルギーEは、物体の質量mに光の速度cの2乗をかけたものに等しい）によって導き出されたとしても、そのことによってその物体が何物（椅子や机……）であるかを判断することができないのである。つまり物質世界と知覚世界を横断する形で、「$E=mc^2$＝椅子」という等式を成立させることなどできないのである。人生は量で判断できないのである。

第四章　存在を問う存在者／真の問われるべき者

存在を問う者

「なぜ、無ではなく何物かが存在するのか……」

ここで問われている「存在」とは物体Xではなく、何物（椅子や机……）かとして知覚された存在である。それゆえ「存在への問い」は、原理的に知覚の今現在における、知覚の記憶と想起との内的時間的関係において成立する。知覚された存在に対して、「なぜ机なのか、他の何物ではないのか……」と問うこと自体が、存在に対する内省であり思考である。重要なことは、存在に対するこの思考が同時に無に対する思考であるということである。なぜならそこに椅子という存在が現れるとき、同時に「それ以外の何物でもない」という無が思考の対象として現れるからである。

記憶＝想起の内的時間軸は、線形時間において過去や未来と実在的な関係を有する現在ではなく、知覚の今と等価な想起の今現在にある。過去や未来といった時制とは、内的時間軸において意味づけられたものであるがゆえに、線形時間軸における現在ではなく、知覚の今現在こそが根源的で実在的な今現在なのである。それゆえ記憶それ自体として知覚の今現在にある「私の過去」こそが本来的で第一義的な過去なのである。つまり記憶＝想起とは、知覚の今現在にある「私の過去」の内的な形式なのである。したがって知覚の今現在において知覚された存在に対する「存在への問い」を私が発するとき、その問いは「存在を問う存在者」である、この私に対する問いになるのである。「なぜ無ではなく、何物かが存在するのか、と問う私とは何者なのか……」

＊　＊　＊

知覚された存在に対して「なぜだ……」と存在を問う存在者である私は、その反省的な問いかけである存在に対する「思考」において、知覚される存在の場から離れた者である。この離脱こそがベルグソンの言う「知覚（純粋知覚）から記憶へと移行すること」である。想起する「今」が知覚の「今」にあるがゆえに、想起する「今」とは想起する私が記憶（過去）へと、知覚の場から離脱する「今」なのである。知覚の場にある存在と対峙し、存在を問う存在者として、知覚の経験的記憶へと移行することは、ベルグソンの言うように、決定的なしかたで物から離れ、精神つまり「私の過去」へと向かうことなのである。

だからこそ存在を問う存在者である私は、物が存在する知覚の場にいないのである。つまり実在しないのである。私は椅子や机といった物が存在する場に、私という存在の像を見ることがない。「私の実存」とは存在に対する思考であり意識である。私の実存は知覚の今と想起の今が重なる現在に溜まりつつ、知覚される存在の場から離れている。それゆえ知覚の場には、椅子や机の物が存在するイメージ（像）が見えるが、私が存在する存在のイメージ（像）は決して見えないのである。鏡に私の身体を映しても、鏡に映るその顔はあくまでも身体の像であって実存する私の像ではない。

想起・記憶が過去（私の過去）の内的形式であるがゆえに、知覚と記憶の関係とは知覚の現在における過去と現在の関係なのである。想起する「今」が知覚の「今」にあるということは、想起の「今」が過去と現在との接点だということである。重要なことは、そこに見える「赤いコップ」や「青い椅子」とは知覚において存在する物であるがゆえに、物が存在する像が知覚の場に現れるが、私の実存は物ではないがゆえに物が存在する知覚の場に私の像が現れないということである。物ではない私は内的時間的存在として想起する「今」にある。想起する「今」が知覚の今にあるがゆえに、想起する「今」にある私が、存在を意識し存在を問うことが可能となるのである。

心身の関係とは空間と時間の関係であり、空間と時間の関係とは、現在空間（知覚の限定空間）と記憶（過去）の関係なのである。それゆえ心身の関係とは、内的時間軸における現在と過去の関係なのである。重要なことは「今」が内的時間軸における「今」であるがゆえに、想起する「今」が現在と過去の接点としての「今」として、知覚の「今」に位置づけられるということなのである。だからこそ、知覚される存在とその存在を問う思考・意識との関係が知覚の今現在において成立するのである。記憶と想起の内的連続性、内的円環が内的時間軸を形成するのであり、この内的時間軸において知覚すること、意識すること、思考することの内的連続や、内的円環が構成されるのである。それゆえ想起の文脈とは「こと」の記憶の文脈なのである。記憶の内容とは、原理的にこの身体（限定空間）において経験した「こと」の内容である。私とは物が存在する場に存在する物ではないがゆえに、知覚は物が存在する場に私を捉える視点ではない。存在を問う存在者である私は、存在を問う者、思考する者、意識する者として問うたこと、思考したこと、意識したことの内にある「こと」の文脈を統合する不在なる一者である。この不在なる一者を捉える視点こそが、経験したことの記憶を想起する、「想起」という内的視点なのである。この意味において私とは「私の過去」なのである。物が知覚において存在する場にいない私の、知覚の今現在における独特のリアリティ（現実性）は、記憶

（私の過去）が知覚の現在にある内的時間であることに基づく。記憶が3年前の記憶であろうと、10年前の記憶であろうと、記憶が知覚の現在にある内的時間であるがゆえに、想起される「こと」が直近のことのように感じられるのである。想起なくして記憶もまたないのは、想起が原理的に今はない「こと」への思いだからである。記憶とは、概念の感性化によって経験した「こと」が、想起される「こと」に成ることである。経験した「こと」が今はない「こと」として理念化され、その理念が内的に持続（内的時間規定）する。それゆえ想起とは、経験の再現ではなく、過去自体と直結したものでもないのである。想起される「こと」、記憶される「こと」が私が経験した「こと」であるがゆえに、想起・記憶という内的時間の形式とは、知覚の今現在にある「私の過去」の形式なのである。過去がこの現在にあるがゆえに、「過去の私」も「未来の私」も実在せず、私は固有の意識・思考として現在に実存するのである。

私とは何か……

私は物が椅子や白い皿として存在するような在り方で、この世界に存在しているわけではない。「存在するとは知覚されること」であるが、しかし私は何物かとして、そこに知覚される存在ではない。「何物でもない」ということがこの世界における実存の条件なのである。

「赤く丸い物」がそこに存在することとは、「概念の感性化」に基づく色とその広がり（形）の統覚による現象である。この現象とは、物が存在する「今現在」の開示であり、統覚（純粋統覚）とは現象とともに開示された「今現在」を直視し、直観することである。純粋統覚は物が存在することを直視・直観するが、しかし「何物」も見ない。知覚において存在する物を何物かとして見る視点こそが、私の視点である。私の視点とは知覚を越えた視点であり物の本質経験を純粋知覚の今において再認する視点である。純粋統覚は原理的に本質経験（私の過去）を触発せず、純粋知覚の「今」のみを見る視点であるがゆえに「赤く丸い物」を見るが「赤く丸い皿」が見えないのである。純粋統覚は一つの直観的意識であるが、統覚が内観（記憶・想起）を触発することで私の過去を開示するとき、不在なる一者である私の意識（自我意識）と成るのである。知覚の今現在において過去が、想起とともに開示されるとき、知覚の今現在にこの私が知覚世界を超えて生成する。つまり、実存するのである。

知覚される多様な色・広がり・形を一つの意識に統合する純粋統覚とは、「知覚の束」だといえる。しかし知覚された存在を問い、考える者として想起する今にある私は、そのような「知覚の束」などではなく、知覚する存在を超えて、知覚の今現在に実存する者なのである。

私は物ではないがゆえに、存在が知覚される場に「何物」かとして現れることがない。つまり物が何物かとして知覚される「場」は、物が存在する場であって私が存在する場ではない。物ではない私とは何者なのか……。

＊　＊　＊

私が現れる「今」とは、物が何物かとして知覚される「今」ではなく、経験的記憶を想起する「今」である。想起の「今」が知覚の「今」において内的（時間的）に触発される「今」であるがゆえに、知覚の「今」と想起の「今」が、過去が現在にあるという意味で一体なのである。それゆえ知覚の今現在において、過去の経験を想起することが可能なのである。想起する今が、現在と過去の接点としての今であるがゆえに、想起の今において過去と現在の円環が回転するのであり、意識と思考が現象するのである。ここで重要なことは、意識・思考・想起から独立した意識する「私」、思考する「私」、想起する「私」が実在するわけではないということである。

知覚の今現在から過去に経験したことを想起するとき、知覚の場にいない私が想起する私として想起の「今」に想起から独立してあるわけではない。物が知覚において存在する場に、存在として無化された、「その場にいない」という私の有り方は、過去の経験を想起するとき、

「経験した者としてあった」という過去形の在り方となる。私のリアリティは、「あった」というリアリティであり、このリアリティは想起と直結する過去（経験的記憶）に基づくリアリティなのである。過去の経験を想起するとき、「あのとき見た夕日は美しかった」「あのときの釣りは、大物が釣れて楽しかった」と過去を思う、その思いの内で「経験の自己同一性」が「私」という一人称的理念によって普遍化されるのである。

私とは物（脳）ではなく、また線形時間軸において「過去の私」「現在の私」「未来の私」として実在する私でもない。私とは現在と過去の内的時間軸における、「経験の自己同一性」を統制する、その統制原理に基づく理念的存在なのである。理念的存在である私が、一人称的理念であるのは、「経験の自己同一性」に加えて、「行為の自己同一性」を統制する理念的存在だからである。2年前の経験と3年前の経験の差異、そして2時間前の行為と5時間前の行為の差異は解消できない。しかし内的時間軸において差異化された二つの経験、行為が同一の私の経験、行為としての意味を持たないとすれば、「私の人生」自体が成立しなくなる。

経験したことを想起するとき、経験した「こと」は、経験した「ことの系列」の内にある。そして経験した「こと」は同時に行為した「こと」でもあるがゆえに、経験した「こと」、行為した「こと」の自己同一性が、「私が経験したこと」「私が行為したこと」という意味を持って想起する「今」に現れるのである。それゆえ想起する「私」が想起に先立って想起する

「今」にあるわけではない。同様に思考する「私」が思考から独立して思考を開始するわけではない。想起を通じて、想起される「過去に経験したこと」が、「私が経験したこと」という意味を有して想起する「今」に現れるのである。この意味において私とは、経験したことの自己同一性を、「私が経験したこと」として普遍化する理念なのである。私の姿が何物かの姿として知覚される存在の場に対象化されないのは、この理念が存在の知覚に過用されることがないからである。

手は私に触れたことがなく、眼は私の姿を見たことがない。身体が「私の身体」という意味を有するのは、「行為したこと」の経験が、経験と経験の自己同一性において「私が行為したこと」の経験として意味づけられるからである。行為と痛みの経験が原理的に、この身体に基づく行為であり痛みの経験であるがゆえに、知覚される「行為・痛み」と記憶される過去の「行為・痛み」の経験の自己同一性において、行為と痛みが「私の行為」「私の痛み」として認識される。この認識は同時に、この身体が「私の身体である」という認識でもある。この意味において「私」とはこの身体の形相、イデア（理念）なのである。それゆえ私とは脳（身体）ではなく、神経パルスや脳内の変換信号に操られる、「脳の中の小人」でもない。

私はどこから来たのか

私は物の世界から来たのか……。そうではない。私とは電子や原子の運動エネルギーによる創造物ではない。また、物が何物か（椅子や机……）として存在する知覚世界から来た何物かであるわけでもない。私とは内的時間軸における経験した「こと」と「こと」との自己同一性と直結する、「一人称的理念」である。経験した「こと」がこの身体において経験したことであるがゆえに、経験したことの自己同一性とは、同時に内的時間軸における現身体と過去の身体との自己同一性でもある。それゆえ「自己同一性」の一人称的理念である「私」とは、この身体の形相（イデア）なのである。したがって私とは身体（脳）の内側から来た者ではないのである。

何物でもなく何者にも成りえない

経験の自己同一性は経験の変化を超えたものである。そしてこの自己同一性が固有の同一性であるのは、内的時間軸における経験的記憶が他者の過去ではなく、原理的に私にしか想起できない「過去」（私の過去）だからである。この意味において「私」とは、想起できない他の過去を有する「他の私」ではなく、想起可能な過去の経験の自己同一性を規定する、一人称的理念としての「私」なのである。それゆえ、「私は私だ」という自己意識は、経験の自己同一性と直結する自己意識の表明なのだ。

経験の「自己同一性」は、経験のあらゆる変化を超えて持続するがゆえに、私もまた経験のあらゆる変化を超えた者なのである。

＊　＊　＊

私とは物ではないがゆえに、物が何物かとして存在する知覚世界に存在しない。つまり知覚経験の対象ではなく、私の姿が現前する場が知覚世界にはない。私が経験の自己同一性に唯一適用可能な一人称的理念であるということは、私が登場しない知覚の現経験が、想起の対象と成ったとき、想起される経験と現経験との差異（過去と現在の差異）の内に、私が「不在なる一者」として現象するということなのである。経験の「自己同一性」が内的時間軸における現象であるがゆえに、その現象によって触発される私もまた内的時間軸において現象する、内的存在なのである。

身体と私の関係とは、内的時間軸における現在と過去の関係であり、この関係とは知覚の現在に想起する今が内的時間としてあることであり、この身体における知覚経験の自己同一性が一人称的に理念化されることで、私がこの身体の普遍的な形相と成るのである。重要なことは、身体の形相である「私」とは、身体内、身体外の物理的な環境によって形成される何物かではないということである。私とは脳内の物理的環境の産物でもなければ、遺伝子的環境の産物でもないのである。

私が自由であるということは、何者かに成る自由ではなく、何者（労働者、資本家、スポーツ選手……）をも越える自由である。私が労働者や資本家といった何者かとして知覚世界に現れることなどない。なぜなら私とは、知覚される何物かの存在を意識し、「なぜ、他の何物かではなく椅子なのか……」と問う、その思考自体として知覚世界を超越し、物理的作用ではないその思考を自覚する者だからである。

思考の自由

物理的作用ではない思考の内的広がりとは、内的時間軸における知覚（現在）と記憶（過知覚される何物かに対する思考に留まらず、「私の自由とは何か……」という理念に向けられた純粋な思考が可能だということにある。

円や三角形自体は紙上に現象することが可能であるが、「現象の理想形である円や三角形自体とは何か……」と考える者である私は、知覚世界のどこにも現象しない。重要なことは、神や自由や永遠といった、その現象については考えられないが純粋な思考の対象である理念は、それについて純粋な思考が可能である限り理念として存続するということである。理念についての純粋な思考が、「神を愛し信じる」「自由に生きたい」といった理念（私）と理念（神、愛、自由……）との関係として純粋に表現されるということであり、物理的関係ではない、このような理念と理念との関係（意味的関係）が思考において成立するということこそが「思考の自由」の本質なのである。私とは自由な思考の自己同一性において「思考する者」として理念化された一人称的存在である。この意味において思考の自由とは、すなわちこの「私」の自由に他ならないのである。

この世界に私は実在しない

知覚される存在を問う私とは、存在を問い考える、その思考の内に意識される理念である。存在を意識し存在を問う、その意識も思考も物理的作用ではない。思考の内に意識される私もまた物ではない。それゆえ、存在を問う私は、知覚世界において存在するものではない。つまりこの私は世界に実在していないのである。私とは円自体や三角形自体が紙上空間に現象するように、知覚世界に現象することがない。つまりこの私が、労働者や資本家や政治家として現象することなどないのである。「労働者の私」「資本家の私」「政治家の私」のすべては「私の幻影」なのである。

私とは民族的要素や人種的要素、階級的要素や遺伝的要素などによって存在価値が決まるような者ではない。知覚世界に現象しない私は、現象の要素によって価値が決まるような現象的存在ではないし、現象する円の理想形である円自体のような、私の理想形（真の私）でもないのである。

知覚される存在を問う、その思考の内にその存在が意識される私とは、知覚世界に実在しないがゆえに、その世界に存在する価値（意味）をもたないのである。資本家、労働者、政治家、スポーツ選手……。それが私がこの世界に存在する意味なのか……。私とはまさに、そのように問い考える、その思考の内に意識され、その思考の内に実存しているのである。

思考の内的な広がりとは、内的時間軸における現在（知覚）と過去（記憶）の時間的広がりである。思考の内に意識される私とは、思考前後の自己同一性と等価な理念である。思考の内に意識される私は、その思考と不可分離な理念であるがゆえに、思考は思考された後で「私の思考」へと回帰する。重要なことは、思考から独立した存在として思考を開示する「私」など実在しないということである。私と思考との関係とは、思考の自己同一性に基づく意味的関係であって、思考から独立して思考を開始する私と思考との実在的な関係ではない。それゆえ「我思う」から思考から独立した私があるとは言えないという意味で、「我思う、ゆえに我あり」とは言えないのである。

私と思考との意味的関係ゆえに、「この思考の内に私がある」と言えるのである。

この世界に、私が存在するいかなる価値もないのは、私がこの世界に何物としても何者としても現象しないからである。思考の内に意識される「私」は、まさにその思考によって現象的価値を超越した「意義」を持つのである。そしてこの「意義」は存在に対する問いから生まれるのである。

＊　＊　＊

私という一人称的概念は、前の経験とその後の経験との「自己同一性」に適用されるが、しかし知覚経験それ自体には適用されない。それゆえ「私」とは理念なのである。

知覚経験に適用できないという意味で、神も国家も、階級も民族も知覚経験に適用されない概念であるがゆえに、それらは観念ではなく「理念」なのである。理念として普遍であるが、知覚の対象ではないがゆえに「個」としての実体がない。この意味において神や国家、階級や民族とは、唯名論者の言うように単なる「名」なのである。神や国家といった理念に対して私という理念の特異性とは、私という理念が「経験の自己同一性という内的実体に唯一適用可能な理念」だということであり、また「私は今椅子に座っている」とか、「私は神を信じる」とかの命題を可能にする、知覚存在や他の理念と意味的に結合する唯一の理念だということにある。

「国のために」「民族のために」「階級のために」私が意志する「こと」、行為する「こと」など何もない。「国家のために」「民族のために」「階級のために」といった、いわゆる共同体意識とは、理念（私）と理念を結びつける思考に基づく、限りなく妄想に近い意識である。しかしこの一つの妄想といってもよい意識が、思考の自由の純粋な副産物であるという「こと」こそが、私が共同体意識から常に思考において自由であるということの証左なのである。

私以外の理念は、存在と結びつき、時として存在に従属する私を、存在から自由に解き放してくれる。「存在を問う者」としてある私にとって、理念は思考の純粋な自由のために必要だといえる。

理性はなぜ、理念を放棄しないのか

これは一つの哲学的な問いだといえる。答えとして考えられるのは、思考の純粋な自由のために必要だということであり、そしてこの私が「考える理性」の求心的な理念だからである。

人生は夢か……

生成から死への人生のプロセスは、線形時間軸ではなく、内的時間軸におけるプロセスとして捉えることで、その真の構図が見えてくる。過去が記憶それ自体として知覚の現在にある内的時間軸において「私」は、思考の内に意識される者として生成する。私とは物質の集合離散の結果としての「物」ではない。私とは想起する「今」、思考する「今」において生成した内

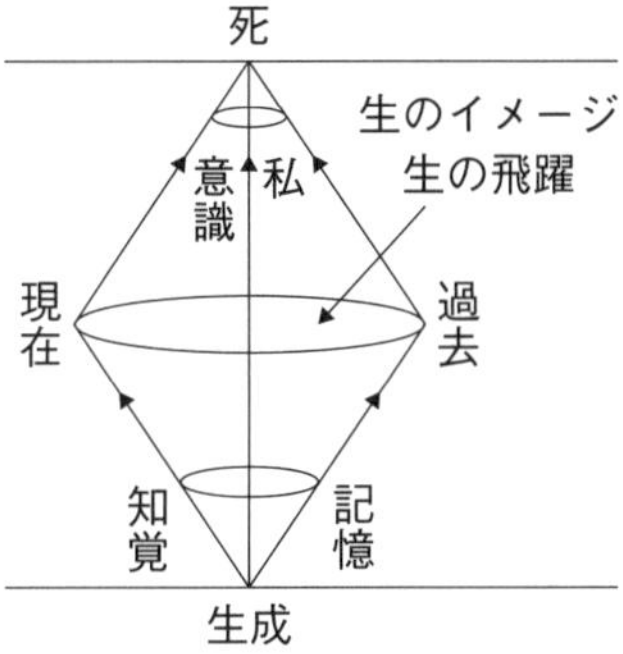

図２　人生は夢か

的時間的存在である。想起する「今」、思考する「今」とは過去（記憶）から知覚の現在を構想するときであるがゆえに、この構想力なくして「私の知覚」も「私の思考」も、「私の人生」もないのである。

いかなる人生にも生の飛躍があり、内的時間は永遠ではない。

他者問題　孤独の根拠

他者問題の本質とは、私と他者（他の私）の差異を根源的に規定する限定空間の位相差の問題であり、そして記憶と想起の内的時間軸の位相差の問題なのである。

私は他者の痛みを私自身の痛みとして感じることができない。なぜなら、痛みが知覚される概念の感性化の場（限定空間）が、私と他者では異なるからである。他者のあの身体と私のこの身体の差異が現に実在する限り、限定空間の位相差は決して解消されない。

「痛い」という観念（経験に適用された概念）の普遍性ゆえに、私は他者が傷口を示して訴える「痛い」という言葉の意味を理解できる。また、他者の「手の傷」を見て、私が過去に経験した同様の「怪我の経験」を想起し、他者の怪我に「感情移入」することができる。しかしこの感情移入は、私の経験に基づく想像の城内にある。「痛い」と発する他者の言葉の意味を理解すること、そしてその言葉と直結する他者の行為に自己の経験を重ね合わせて「感情移入」することは、「他者の痛みを私の痛みとして経験すること」とは別次元のことなのである。「痛い」と他者が発する言葉の意味の「普遍的認識」も「感情移入」も、他者と私の知覚経験の位相差を解消することができないのである。

記憶の位相差

記憶の位相差とは内的時間軸の位相差であり、記憶の位相差が知覚の位相差よりも根源的であるのは、その位相差が私と他者（他の私）の位相差と直結しているからである。

記憶の位相差ゆえに、私は「他者が経験したことの記憶」を想起できないのであり、他者（他の私）は、「私が経験したことの記憶」を想起することができないのである。

私と他者Aは二人で旅行にいったときのことを「3年前の7月5日のハワイ旅行」として同定することができる。しかし同定された出来事の記憶は、他者Aから見れば、「この私と旅行したときの他者Aの記憶」であり、この私から見れば、「他者Aと旅行したときの、この私の記憶」である。記憶の位相差とは内的時間軸の位相差であり、記憶の位相差と想起という内的視点の位相差は等価である。それゆえ私と他者Aが同定する出来事の記憶だったとしても、内的視点（想起）の位相差ゆえに、私は他者Aが経験したことの記憶を想起できないのであり、そして他者Aは私が経験したことの記憶を想起することができないのである。

内的視点の位相差が、私と他者にとって根源的であるのは、経験の自己同一性として捉えられる私の様相（経験的様相）は、外的視点ではなく内的視点において把握されるからであり、内的視点の位相差ゆえに、この私の様相は他者の外的視点からはもちろん、他者の内的視点からも把握されることがないからである。私と他者の内的視点の位相差と経験する今の位相差は等価であるということは、想起する「今」と経験する「今」が等価であるということである。重要なことは他者が経験する「今」と私が経験する「今」の位相差が内的時間軸の位相差であるがゆえに、私と他者が共有する「今」などないということである。それゆえ私は何事かを経験する「今」において、本質的に孤独なのであり一人なのである。

私が生きる「今」が線形時間軸における「今」ではなく、内的時間軸における「今」であるがゆえに位相差を有する他の「今」を生きることが私にはできないのである。この意味において、この「今」における私の在り方とは「独在」なのである。

「孤独、独在とは主観的な観念などではなく経験を構成する限定空間、内的時間の位相差において実存する、私の本質的な在り方なのである」。重要なことは、私の本質的な在り方が他者と共有できない「今」における独在（孤独）であり、そしてそうであるがゆえに、この私に他者に対する想像力、共感力（感情移入）が与えられているということなのである。想像力、共感力こそが、この私の社会性の本質なのであり、私の社会性とは私の実存と直結しているのである。この意味において私の社会性とは、「非社交的社交性」なのである。それゆえ私には、他者が想像する「何者かの私」（非本来的私）、私が想像する「何者かの他者」（非本来的他者）に共感する自由と共感しない自由があるのである。そしてこの自由を自覚する「私」こそが真の本来的私なのである。

なぜいつも「今」なのか、そして客観的に実在しないのか……

「今」とは、過去と未来の接点にあって過去から未来へと客観的に推移する時制ではない。「今」とは「過去があるから今がある」「未来があるから今がある」として、過去と未来の実在性によって規定される「今」ではない。なぜなら「今」とは過去（記憶）を想起する「今」であり、非実在的な未来とはいかなる関係もない「今」だからである。今がこのような今であるのは、過去を想起する今現在に、過去が記憶自体としてあるからであり、記憶・想起が内的時間軸として知覚の現在にあるからである。それゆえ「今」とは過去や未来の実在性によって保証されるものではなく、知覚の現在の実在性によって保証される「今」なのである。そして知覚の現在を超えてその実在性を保証するいかなるものもないがゆえに、私は未来にいつか死ぬ存在ではなく、常にこの「今」において死すべき存在なのであり、内的時間軸の位相差に基づく「今」の位相差ゆえに、この「今」において死すべき存在者とはこの私なのである。

独我論（独在論）

私を物（脳）だと考えている人には、独我論は理解不能だろう。独我論は主観的観念論から導かれる迷妄などではない。私という理念は経験の自己同一性と対応する理念であり、それゆえ私とは「自己同一性」を把握する内的視点において捉えられる内的（時間的）存在なのだ。独我論が独在論であるのは、この問題が私を捉える視点の問題だからである。

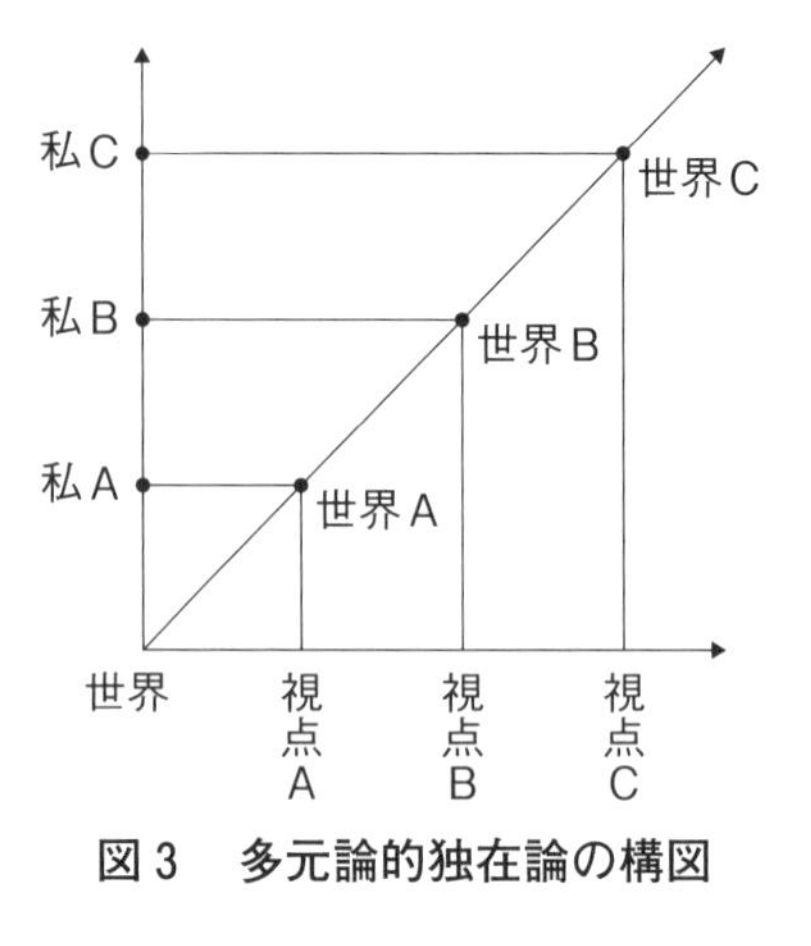

図3　多元論的独在論の構図

世界を知覚する外的視点と、その知覚経験を想起する内的視点は「私の視点」として一体である。なぜなら世界を知覚する私の内的実体こそが経験の自己同一性だからであり、この自己同一性を意識することと、私という理念を意識することとは等価だからである。それゆえ、知覚する私とは知覚経験を想起する内的視点において捉えられるのである。そして内的視点と外的視点が不可分離であるがゆえに、知覚される世界にこの「私」が実在しないにもかかわらず、というよりも実在しないからこそ「私の視点」が成立するのである。

限定空間の位相差、内的時間軸の位相差ゆえに、私の視点から広がる世界の知覚風景は、この宇宙で唯一の知覚風景なのである。

「私の視点」と「他者の視点」を並べて比較する、そのような「超越的視点」など実在しない。私は視点の外に出ることができないがゆえに、視点から広がる世界の外から、他者が見ている世界を見ることができない。視点の位相差が現に実在するがゆえに、この私が視点から広がる世界における唯一の世界内存在なのだ。この意味において「世界に存在するのは私一人」と主張する独我論とは、独在論なのである。

世界を知覚する外的視点と、知覚経験を想起する内的視点が一体であり、そして内的時間軸の位相差と私と他者の位相差が等価であるがゆえに、この視点から広がる世界には私しかいないのである。重要なことは、独我論をこのような「独在論」として捉えることで、「他者の存在を認める独我論」が可能になるということなのである。

第五章　存在から生成へ

死と時間

死への存在である私の、「死へのプロセス」をいかなる時間軸に位置づけるかによって、一人称の死である「私が死ぬこと」の意味は違ったものになる。私が知る限り、その時間軸は二つしかない。一つは、過去から未来への「時間の流れ」の実在性を肯定する線形時間軸であり、一つは、時間の流れの実在性を否定し、過去が記憶自体として知覚の現在にあるとする内的時間軸である。この問題は「死への存在であるこの私がいかなる存在なのか」ということと切り離して考えることができない問題なのである。

線形時間軸における現在という時制に、この「私」と私が知覚する「世界」が実在するということは過去や未来という時制においても、この「私」と私が知覚する世界が実在するということである。それゆえ線形時間軸（A系列時間）における「私の死」とは、「死への存在」である私が未来のある時点で、私が知覚する世界において、この私が唯一の「私の死」を死ぬことを意味する。線形時間軸において、死後の世界とは私が存在しない世界であり、私が死んだ（存在しない）後も、私が存在しない世界が線形時間軸において未来へと永続する。線形時間軸において「死後の世界」という世界観は現実的であるといえる。しかしここで問題となるのが、「世界とはこの私が現に知覚する世界ではないのか……」ということである。他者の死後の世界とは「私が知覚する他者が存在しない世界」である。しかし「私の死後の世界」とは私が存在しない世界であり、私が知覚する世界ではない。世界が私が知覚する固有の質感を有する世界であるならば、私の死後の世界とは何なのか……。それは単的に「無意味な世界」である。つまり線形時間軸（A系列時間）において、「死後の世界」が想定可能だとしても、それが私の死後の世界である限り、そのような世界観は無意味なのである。

＊　＊　＊

内的時間軸における私の死とは、未来のどこかの時点にあるのではなく、知覚の現在にある。内的時間軸においても、「私の死」とは知覚世界において、この私が唯一の私の死を死ぬことを意味する。しかしここでの私の死は線形時間軸における死のように、知覚世界から私が一人去っていくことではない。なぜなら、私という現存在は知覚経験の「自己同一性」として意識される時間的存在であって、空間を限定する物（身体）ではないからである。世界とは、色や形を有する何物か（赤く円い皿……）が知覚される世界であり、私が経験する世界とは知覚以前の何物もない世界ではない。世界とは私が経験する固有の知覚的質感を有する世界であり、その質感は私の経験の質感と等価である。知覚世界に伴う質感は、私に固有の視点から捉えられる。それゆえ私は、世界の現象を経験しているのである。重要なことは、世界の現象を経験する私の経験的過去と現象世界の過去は完全に等価だということである。世界それ自体ではなく、世界の現象を私が経験するのであり、それゆえ現象経験の記憶とは私が経験する世界の過去なのだ。

私の経験的記憶が私が経験する世界の過去だからこそ、過去が現在と別次元に実在する時制的時間ではなく、想起する今現在にある内的時間なのである。経験的記憶が私が経験する世界の過去であるがゆえに、経験の自己同一性として意識されるこの私によって、知覚世界の今現在と想起される過去が統合される。それゆえ私とは、現象世界の現在と過去の接点にある世界内存在なのである。

内的時間軸における「私の死」とは、現象世界における唯一の世界内存在である私の死を意味するのである。「私」とは実在世界（物質世界）における物的実在ではなく、現象世界における内的時間的存在なのである。身体と私の心の問題とは知覚空間と内的時間（記憶・想起・思考・意識）の問題であるがゆえに、知覚に対する思考・意識の関係である心身の関係とは、その関係自体が現象世界における一元的関係なのである。二元論的な心身の関係が成立する世界などない。

現象世界の現在とは知覚の現在であり、そして現象世界の過去とは私の経験的記憶である。現象世界における心身の関係とは、知覚と経験的記憶の関係である。したがってこの関係は同時に知覚空間と経験的時間の関係であり、知覚の現在における現在と過去の関係である。私とはこれらの一元的関係の接点にある世界内存在であり、一つの視点から現象する世界における唯一の内的時間的な現存在なのである。

＊　＊　＊

内的時間軸における私の死とは、この私が一つの世界から一人孤独に消え去ることではなく、この私の死と同時に世界が消滅するということなのである。内的時間軸における死が、「真の死」であるならば（私はそのように考える）「死後の世界」という世界観は成立しない。

二元論者は言うだろう、死後の世界は身体が消滅した後の「精神の世界」だと……。しかし心身二元論においては、心身関係が一元的に統合される世界が原理的にないがゆえに、死後の世界（精神世界）に対応する、心身関係が成立する「私の生きる世界」がない。したがって心身二元論においては、心身関係が実在する「私が生きる世界」もなければ、その世界と対応する「死後の世界」もないのである。そして一元的な心身関係が成立する現象世界は、世界内存在（内的時間的存在）である私の死と同時に消滅するのであり、私が死んだ後の、私が生きた世界と対応する「死後の世界」など実在しない。

内的時間軸は知覚の現在にあるがゆえに、内的時間軸における死は、未来のどこかの時点にあるのではなく常に現在にある。知覚される世界の今現在とは知覚経験の記憶である過去と対応する現在である。それゆえ、現在と過去の接点にある「知覚する私」「想起する私」が死ぬとき、世界の現在と過去が消滅する。つまり、内的時間という時間それ自体が私の死と同時に消滅するのである。このような事態こそが「私が死ぬ」ということなのだ。

＊　＊　＊

私の死によって消滅する世界とは、唯一の視点から現象する知覚世界であって物の世界ではない。現前している知覚世界の「質感」を経験する一者がこの「私」であるのは、その世界が私という世界内存在が現象する唯一の世界だからである。それゆえ私が見る世界には世界内存在としての他者が実在しないのであり、他者が見ているであろう世界には、世界内存在としての私（現存在）は実在しないのである。だからこそ、私は他者の世界の経験的過去を想起できないのであり、他者は私の世界の経験的過去を想起できないのである。私もそして他者も内的時間軸の位相差を超越することができないのである。私にできることといえば、孤独（独在）ゆえに私に備わる共感力と想像力によって他者像を握持することができるだけである。社会・社会性とは私と他者との関係を継続する共感力、想像力の内にあって、その共感力、想像力によって展開される、「孤独の形」なのである。

＊　＊　＊

私とは何か……。私とは一個の物ではなく、無数に存在する脳の中の一つでもない。私を一個の物と理解する限り（唯物論）、以上の考察は理解不可能だろう。唯物論は克服されなければならない。私とは一個の物ではなく、経験（知覚経験）の自己同一性において理念化される内的時間的存在であり、私と知覚世界は同一の内的時間軸における一元的現象なのである。私と知覚世界の現象が一元的現象であるがゆえに私の死と世界の消滅もまた一元的なのである。「私の死」とは、他者が知覚する（と想定される）世界での死ではなく、私が知覚する世界での死である。「他者が死ぬ世界」と「私が死ぬ世界」の超越的差異ゆえに私は「私の死」によって世界とともに無となるのである。この意味において、ハイデッガーが言うように、死に

「一般的死」などないのである。そしてこの問題は、死への存在である私という現存在の生き方とも直結する。つまり死〈私の死〉に「一般的死」がないならば、「死への存在」である「私の生き方」にも、「一般的生き方」などないのである。私の「在り方」とは「一般的在り方」ではないがゆえに、「私」とは一般者ではなく、他者に対して常に例外者なのである。

死の根本問題

死の根本問題とは、私が死ぬということが、「私が今見ている世界から、私だけが一人消え去ることなのか、それとも私と世界が同時に消滅することなのか……」という問題である。

この問題は、経験から答えを導くことができないがゆえに〈私の死を私が経験できない〉、私の死生観、世界観と直結する問題である。

世界とは、「赤い椅子」や「白い机」、「青い皿」といった何物かが質感を持って存在する世界であり、知覚の内的作用に反映する「知覚世界」である。そして「私」とは、知覚経験の自己同一性を起源として理念化された「一者」であり、「世界内存在」である。それゆえ世界内存在〈私〉と世界は内的時間軸における一元的現象なのである。それゆえ私と世界は、私の死によって一元的に消滅する。したがって私が死ねば、知覚されるすべての物が世界と同時に消滅する。知覚される何物も「私の死」を越えてあることなどない。世界が知覚世界であるならば、私の死後の世界を実在論的に規定することができないのである。世界は一つであり、世界とともにある私の生は一度限りのものであり、私の死とともに消滅する世界の他に、いかなる世界もないのである。

死と歴史の終わり

過去とは知覚世界における私の経験的過去であり、想起可能な内的時間として知覚の現在にある。「10年前の出来事」が昨日のことのように思い出されるのは、出来事のその記憶が想起する今（知覚の今）にある内的時間だからである。この意味において、想起不可能な私の経験的過去ではない「千年前の出来事」は、知覚の現在にある内的時間（記憶）として実在する過去ではない。「千年前の出来事」は私が経験した出来事ではないがゆえに、想起の内的対象ではない。「千年前の出来事」の物的痕跡が、知覚の現在にあるとしても、その物的痕跡から「千年前の出来事」を想像できても、私が経験した出来事として想起することなどできないのである。つまり「千年前の出来事」は過去に実在する出来事ではないのである。唯名論者なら言うだろう、「千年前に起きた地震という出来事は、歴史の年表に記された単なる『名』であり、単なる『名』として現在にある」と。つまりその「名」とは、「想起できない過去」という理念に付けられた「名」（千年前の地震）なのだ。ここで重要なことは、「想起できない理念としての過去に対する思考が、想起する今にある」ということである。それゆえ歴史とは、「想起できる過去」と想起できない「理念としての過去」との先後関係を前提として、その「思考」によって現在に制作されるのであり、私の経験的過去は作られたその歴史において、歴史的意味を持つのである。したがって歴史的意味なるものは、客観的なものでも必然的なものでもないのであり、過去の出来事に歴史的な進歩の必然などないのである。歴史は決定論では説明できない。マルクス主義の史的唯物論なるものは、結果論と決定論を混同したものであり、「そうなったから、それが歴史の必然だ」と言っていることと同じなのである。なぜそのようなことが起こったのかは、必然ではなくさまざまな要因が重なり、絡み合ったことによる偶然なのである。「前のこと」と「後のこと」との差異は、差異としては無意味な必然（ただ違っているだけ）であるが、生起する「こと」の内容においてはまったくの偶然なのである。それゆえ歴史的意味は必然ではなく、「解釈」によって偶然を読み解こうとした結果制作されたものなのである。それゆえ私は、この歴史的意味に必然的に束縛されるような存在ではないのである。

人生の根本問題

人生の根本問題とは、生から死へのプロセスである人生をいかなる時間軸において捉えるべきかという問題である。

人生を内的時間軸において捉えるならば、人生は過去から未来へと流れる、「時の流れ」の内にあるのではない。そのような「時間の流れ」など実在せず、過去はこの現在において「私の過去（記憶）」として開示されるのであり、未来とはその過去の視点から見た「現在」なのである。つまり「私の未来」とは私が生きる「今現在」なのである。それゆえ、過去から未来へと時は流れないのである。過去とは人類や国の過去ではなく「私の過去」であり、未来とは人類や国の未来ではなく「私の未来」である。

永遠の時が、この現在における「流れない静止した時」であるならば、永遠の時とは「未来永劫の時」ではなく、この現在における一度限りの「今」である。それゆえ私がこの世界において経験する出来事のすべては、一回限りの出来事なのである。私が経験する出来事の比類なき一回性とは、人生を内的時間軸において捉えることから導かれる「一回性の真実」なのだ。

過去から未来へと流れる時間などなく、私の死によって終わる世界に未来などない。「未来に向かって生きている」という事実はなく、「過去があるから私が生きる今がある」とも言えない。現実はその逆であり、今（想起する今）があるから、この現在に過去があるのである。

人生を歴史的に意味づけるいかなる物語（例えばマルクス主義）も実在せず、私が生きる世界に未来はない。つまり生きる世界と対応する「死後の世界」など実在しない。それゆえ、人生を背後から意味づける宗教家が説く「死後の世界の物語」もまた実在しない。「生きていることに何の意味があるのか……」この問いに、歴史的な物語を用いて答えようとした歴史主義も、また死後の物語を用いて答えようとした宗教も失敗した。その根本的原因は、彼らが内的時間軸ではなく線形時間軸において人生を捉え、その意味を追求しようとしたことにある。人生を内的時間軸において捉えるならば、「人生の意味」は私の死によって終わる世界の、今現在に求める他はない。

この「私」が一個の物ではなく経験の自己同一性と直結する一人称的理念であるならば、私の内的時間的な実体である「自己同一性」自体は知覚世界のどこにも現象しない。つまり何物かとして知覚されない。「存在するとは知覚されることである」、この意味において私は知覚世界に存在しない。それゆえこの世界に私が存在することに意味などなく、「私の人生」にも意味などない。

私とは「自己同一性」において経験に対して超越的である。経験それ自体ではなく、経験の自己同一性において、この私が生成するのである。それゆえ、そこに何物かとして在る存在の在り方と私の在り方は異なるのである。したがって何者かとして知覚されない「私」に対して知覚世界にあることとの意味（目的）、生きる（経験する）ことの意味（目的）を問うことなどできないのである。私とは「在ること」の意味を問えない存在なのである。それゆえ重要なのは「在ること」の意味ではなく、「在ること」それ自体の質なのである、在ることの質感と知覚される世界の質感は等価である。「赤い夕日」の赤らしさは、世界内存在であるこの私だけが知りうる知覚世界の質感である。この質感は知覚世界に存在することと不可分の質感として、知覚される存在に帰属すると同時に知覚する現存在（私）と直結する。重要なことは「夕日」という存在自体は、その質感を知りえないが、その存在を知覚する私はその質感を知り得るということである。それゆえ私は、知覚される存在から離れて、この世界に私があること自体の質感を知りうる可能性を有するのである。

物ではない私が在ることの質、それはこの世界における私の在り方と直結する。私とは経験の自己同一性において、経験に対して超越的である。重要なことはこの超越性ゆえに、知覚経験の質に対する超越的経験が可能となるということである。だからこそ、私が在ること自体の質を超越的に経験することが可能なのである。この意味において、「在ることの質」には客観的な形などなく、知覚する存在をその質感において肯定する「現存在」それ自体の自己肯定的意識の形なき形としてある。在ることの質は経験的状況を超えた自己肯定感であるがゆえに、私のように「孤独にあること」に充足することができるのである。

＊　＊　＊

「私は私だ」という同語反復的命題が語ることとは、経験の自己同一性である。私とは自己同一と直結する一人称的理念である。この理念化ゆえに、二年前の経験も五年前の経験も私の経験として意識される。つまり想起される。経験がいかに変化しようと、この自己同一性は不動、不変である。「私」の普遍性と固有性は、私が理念として普遍であるが、経験の自己同一性を成立させる内的時間（記憶・想起）において固有であるということである。私には他者の経験的過去（記憶）を「想像」できても「想起」することができない。このような内的事態ゆえに「私（普遍的私）は私（固有の私）」なのである。

自己同一的関係とは、私と知覚される対象との関係でもなければ、私と身体（脳）との関係でもない。私という一人称的理念は、現知覚経験と過去の知覚経験との同一性という、内的時間的関係に唯一適用される理念である。それゆえ自己同一それ自体としてある「私」は、想起する今において生成し意識されるのである。だからこそ「私」は実在世界において、そして脳内において、「それが私だ」と発見されるような存在者ではないのである。

同一性と自己意識

経験の自己同一性とは、現知覚経験と過去の知覚経験との自己同一を意味する。そしてこのような自己同一が知覚の今現在に成立するのは、想起する「今」が知覚の「今」にあるからである。それゆえ経験の自己同一とは、現在と過去の接点である、想起の作用が立ち上がる知覚の「今」にあるといえるのである。意識とは何か、意識とは内的時間それ自体であり、それゆえ「知覚の今」が消滅すれば、過去を意識する想起の今も消滅する。そして「想起する今」が消滅すれば、何物かを意識する内的経験が失われ、「知覚の今」が消滅するのである。つまり知覚の今と想起の今の同一性が消滅する。

自己同一性は経験の変化を超えて不変、不動であるがゆえに、自己意識は何物かへの指向によって変化する指向的意識と等価ではない。想起する今から過去の意識が生成し、知覚の今から現在の意識が生成し、そして自己意識が現在と過去の接点にある経験の自己同一的意識として生成する総合的意識であるとするならば、「私は私だ」と命題化される自己意識とは、内的時間軸における不変、不動の創発的意識だといえる。この不変、不動の創発的意識において私は人生を俯瞰するのであり、また知覚される何物かの「知覚の質感」を意識するのである。知覚の質感（例えば赤い夕日の赤らしさ）を意識する、この創発的意識こそが主観なのであり、私なのである。

経験の自己同一性が現在と過去の接点である、想起の今にあるがゆえに、その非実在的な今にある私（創発的意識）とは、知覚世界において何者でもなく、何物にも従属せず、いかなる経験の変化によっても変化しない不動の一者として、常にこの「今」（想起の今）にある。

脳神経の活動ではない思考が、この今（想起の今）において開示されるのは、思考が知覚において触発される内的時間的作用だからであり、それゆえ思考が現在と過去の接点である想起の今において常に触発されるからである。思考も私も、現在と過去の接点である「想起の今（知覚の今）」にある。重要なことは、思考が常に私の思考であるのは、過去が私の過去だからであり、そして経験の自己同一性と思考の自己同一性が等価だからである。内的時間軸における経験の連続性から、そして思考の連続性から、その同一性を排除することができないがゆえに、思考の同一性が私の思考としての意味を持つのである。それゆえ思考から独立した私が思考を開示するわけではないのである。思考の変化を超えて「私の思考」という意味が不変だということなのである。

私と思考が分離できないのは、前後の思考の同一性が思考それ自体から分離できないからである。それゆえ変化する思考を意識する創発的意識である私は、思考のその変化の内に自己を見失うことがないのである。思考の同一性において、思考から立ち上がる私とは、それゆえ思考される私ではなく、「思考する私」なのである。だからこそ私は、他者の思考から自由なのである。つまり私には「思考の自由」があるのである。

環境の変化を超えて、経験の変化を超えて私は私であり続ける。私の本質、私が何者であるかは、変化する環境、社会、経験の内に「労働者の私」「資本家の私」「政治家の私」として見出されたりはしない。それらの私はすべて幻想である。私はそのような形で、他の何者かになることなどできない。つまり「私」は常に、この今において他の何者から自由なのである。重要なことはこの「自由」、そして「一人だ……」という実存の質感を意識する創発的意識こそが、私の言う「精神」だということである。

実存の質感を自由、孤独として意識する、創発的意識こそが我々が精神と呼ぶものの正体なのである。この精神は歴史的に発展してきたものでもなければ、未来へと進化するものでもない。精神は知覚世界の固有の視点として、知覚世界の変化それ自体を見る。この普遍的精神ゆえに私は思考の変化、環境の変化の内に自己を見失わずにいられるのである。私は変化する何物からも自由なのだ。私が考えられうる何者かではないのは、内的時間軸における自己同一性という私の本質が論理的な思考それ自体の変化を超えているからである。それゆえ同一性を「私は私だ」と意識する創発的意識は、同語反復的にしか表現しようのない、論理を超えたものなのである。

＊　＊　＊

「椅子」や「机」が、知覚世界における「存在の意味」であるならば、何物（椅子や机）かとして知覚されない私が、世界に存在する意味などない。つまり私とは、何物かとして現象する世界の一員、一部として論じられるような存在ではないのである。知覚される対象のすべては、「存在の意味」の場に何物かとして現象する。しかし、その現象を意識し、その現象について考える「私」は、存在の意味の場に何物かとして現象することがない。それゆえ私とは、現象と対応する「何物自体」ではない。私とは世界に並存する何物かと等価な存在ではなく、私が存在しない世界は無意味な世界であるという意味で世界と等価な存在なのである。世界の過去とは私の過去であり、知覚される世界の今現在とは私の今現在である。世界の今と過去を同時に意識する、意識それ自体としての私の視点とは、想起の今が知覚の今にあるという今の内的同一性において成立する。私はその非実在的な「今」という視点から世界内の現象を意識する。

意識するすべての現象には意味（存在の意味）がある。しかし意識（視点）それ自体である私には意味（存在の意味）がなく、現象する何物かの意味によって私を意味づけることもできない。また私が存在する意味が「世界」から与えられることもない。なぜなら、知覚の場（意味の場）に世界それ自体が「世界像」として現象することなどないからであり、また世界それ自体を全体として意味づける、いかなる超越的世界もないがゆえに、世界が存在する意味もまたないからである。

重要なことは、この私（無意味な現存在）が無を問い、無について考えることが可能だということである。ハイデッガーが言うように、

無への問いは
われわれ問うもの自身を
問われるものにする

無を問い、無について考えることで、この私が真に問われるに値するものとなるのである。つまり問われるに値する、意味の場を超えた「意義のあるもの」に成るのである。

時間のパラダイム変換と死後の文脈からの解放

過去が内的時間として、想起する今現在にあり、時間の流れなどなく、未来が過去とも現在とも断絶した「時間の時制的幻」であるならば、この時間のパラダイム（枠組）において、死後の文脈が未来の文脈とともに消え、そして死後の希望が未来への希望とともに消え去るのである。

過去世界にも未来世界にもいない現存在である私とは、内的時間の自己同一性において生成し、知覚の今と想起の今との自己同一的今において実存する一者である。世界（一度限りの現象世界）は、自己同一的今における一者のパースペクティブ的視点から開示される。それゆえ視点の消滅（私の消滅）と内的時間の消滅、そして世界の消滅が完全に等価なのだ。この意味において「私の死」とは死後の文脈のない、死後の文脈から解放された「死」なのだ。

過去や未来の実在を前提とする根拠なき線形時間を認める限り、我々は虚偽の文脈である死後の文脈（来世の物語）から解放されることがないのである。

来世のリアリティは未来のリアリティから派生したリアリティであり、それは原理的に未来や過去の実在性を肯定する線形時間に基づくリアリティである。「死後も私が生きていた世界がある」と考えるときの「死後の未来」のリアリティと「死後の来世」のリアリティは、線形時間（時制的時間）に基づく完全に等価なリアリティなのだ。

宗教は、「現世の苦痛」というリアリティと「死ねば無となる」という無への恐怖を現世の幻と教えることで、「今よりきっと未来は良くなるだろう……」という未来への希望のリアリティを、来世の希望のそれへとすり替え、来世の世界こそが真の世界であるとして、現世と来世の価値を逆転した。ここで重要なことは、その逆転が、必然的に苦痛や孤独に対する強さとその弱さの、価値の逆転を伴うということである。ニーチェは「来世への希望」の欺瞞性に気づき、その希望を批判した。ニーチェによれば、宗教（キリスト教）が説く「希望」の正体とは、弱者の怨恨（ルサンチマン）が来世で強者（権力者）に復讐する（地獄に落とす）ことなのである。ニーチェは社会主義にもこれと同様の、怨恨（ルサンチマン）と復讐の構図を見た。つまり社会主義とは、社会進歩（未来への希望）の形態を有した、弱者（労働者）の怨恨による強者（資本家）への復讐（革命）の物語なのであり、社会主義の物語とは、宗教の古く深い弱者の怨恨（ルサンチマン）の物語の、近代的な焼き直しに過ぎないものなのである。それゆえこのような物語は、何ら道徳的なことでも理性的、理想的なことでもないのである。このような見方において、ニーチェは反道徳主義者であり、反理想主義者なのである。この意味において、「神は死んだ」と宣言し、死後の文脈を否定することで「価値の転換」を意図した、そのニーチェの意志には、必然的に時間のパラダイム変換への意志が伴っていたのである。

永遠回帰、何が再来するのか

「私の死」とは死後の文脈のない「死」であり、内的時間における自己同一性が、時間の消滅とともに世界から消えることであり、それゆえ私と時間と世界が同時に消えることである。つまり、私の死とは「死後の文脈のない死」なのだ。時間の消滅が「私の過去」と等価な「世界の過去」の消滅を意味するがゆえに、「私の死を想起する」という死後の文脈などないのである。私の死によって、知覚の現在と想起される過去が消滅する。「死」とは生きつつ生きたことを振り返る唯一の私、唯一の世界の無化であるがゆえに、「死」ねば私は永遠に帰ってこないし、帰るべき世界もない。それではニーチェの言う永遠回帰とは何か……、何が永遠に回帰してくるのであろうか……。それは生成と消滅の円環において多元的世界を構成する、内的時間（内的視点）それ自体なのだ。内的視点とは、内的時間の差異と自己同一性において生成する一者（現存在）の視点であり、一者の視点が多元的世界を統一的に見る「神の視点」でないのは、内的視点（想起の視点）と直結する過去が現存在の過去と等価な「世界の過去」として差異化され、多元化されるからである。それゆえ内的時間（内的視点）の生成とともに世界に回帰する者とは、生成と消滅を繰り返す多元的世界において一つの世界を肯定する（見る）ために現れる「一者」なのである。私の過去と私の死後に現れる一者の過去が断絶しているがゆえに、回帰する「一者」とは、一つの世界とともに消えるこの「私」ではない。

回帰する出来事とは、生成と消滅を繰り返す内的時間において永遠に差異化される、自己同一性それ自体なのである。ニーチェによれば、自己同一の生成という出来事こそが、「生成に存在の性格（一者の性格）を刻みつける」根源的な出来事なのである。世界とは「生成」に極限的に性格づけられた「存在の世界」であり、一者の性格もまた生成によって性格づけられている。それゆえ一者（現存在）は目的なき生成をただ純粋に肯定する。一者が一つの生のプロセスにおいて何者かに成れないことと、生成に目的がないことは完全に等価である。多元的世界における生成は、生成それ自体からも、多元的に差異化された他の世界からも意味づけられない。一者の存在が無垢な生成によって性格づけられているがゆえに、一者であること自体が、生成の肯定なのである。

一者の性格が生成に無垢に刻まれた存在の性格であるがゆえに、一者の実存的性格が生のイメージ（孤独、不安、苦痛、快楽……）として現れるのである。生成に目的がないがゆえに、これらの生のイメージは、一者が何者かに成るために克服されるべきものではないのである。

ニーチェの言うニヒリストとは、「いっさいの出来事を『意味』（目的）もなくそう成っただけのこと」として肯定する者なのである。

自己同一性という根源的な出来事の生成それ自体には意味がない。それゆえこの出来事の再来とは、「無」の再来なのである。しかし、永遠に回帰するこの「無」は、生成する世界において固有の存在的性格を持つ。つまり、「人生はいったい何のために……」「なぜ、この出来事が私に……」といった形で問われる「無」という存在的性格を有する無となるのである。そしてこのような形で無を問う意志と力を有する一者こそが、ニーチェの言う能動的ニヒリストなのである。

生成に刻まれた存在性格

ニーチェは実存の性格を、物に刻まれた存在性格としてではなく、生成に刻まれた存在性格として捉えていた。

私が生成する「今」とは、知覚の今と想起の今の自己同一的今であり、非実在的なその今において生成する私とは、経験する今現在と経験した過去との自己同一性において「一人称的に理念化された一者」である。この一者である私の存在性格は、今ある現在に過去が刻まれることで成立する。差異があるから自己同一があるのであり、差異の自己同一は知覚の能力に、過去（記憶）を触発する能力が備わっていなければ成立しない。知覚の今に刻まれた過去（記憶）が、自己同一において私の過去となることで、私の存在性格を規定する。私とは「私の過去」なのである。この意味において、自己同一とは過去の無条件な肯定なのである。過去を否定することは、私を否定することになる。なぜなら第一義的に過去とは、「私の過去」だからである。自己同一から生成する私であるがゆえに、生成とは存在の無条件な肯定なのであり、それゆえ私の生成には、何者かに成るという目的も条件もないのである。

過去を否定することが、私を否定することであるがゆえに、生成に刻まれた不安や苦痛や孤独といった「生成の履歴」から逃走する態度、そしてそれらの代償を来世に求める態度こそが、ニーチェが言うように自分自身への怨恨であり、復讐であり、自己の存在性格を歪め貶めるのである。

＊　＊　＊

私の存在性格とは物に刻まれた存在性格ではなく、生成に刻まれた存在性格である。目的なき生成ゆえに、何者かへと安住できない不安、他者と共有できない過去（私の過去）ゆえの孤独、知覚に刻まれた他者と共有できない苦痛、そしてそれらに伴う固有の質感が私の存在性格を形成する。「私の存在性格は労働者や資本家、政治家といった仮象の何者かの存在性格ではない」。それゆえ「何者かを解放しようとする解放理論（例えばマルクス主義）は、この私の解放とは無縁の理論」なのである。つまり私とは、そのような解放理論によって解放されるような存在ではないのであり、私にはそのような解放理論など必要ない。それでは、この私に何が必要なのか……。

私に必要なのは存在性格の強化であり、深化である。存在性格の強化、深化によって私は孤独を楽しむことができる「強き人」になれるのであり、生成に刻まれた固有の質感を私の個性として表現できる「個性の強い人」になれるのであり、「漠然とした不安」を「表現することの不安」へと深化することができるのである。そして何よりも、無について考えることができる「考える人」になることで、何者かを超えた「意義ある人」に成ることができるのである。

存在から生成へ

知覚経験とその記憶の「差異と自己同一性」は、知覚したことを知覚の現在において過去化する「内的時間規定」によって生成する。固有の意識（自己同一的意識）である私は、この生成の原理において存在の地平から生成の領域へと内的に超越した一者なのである。

時間の内的時間規定、この総合的時間こそが生の内的超越を可能にする生きた創造的時間なのである。私とは生きた時間によって創造された一者なのだ。ここで言う創造とは存在（身体・脳）を内的に超越することであり、その唯一の目的とは存在を超えること、それ自体であり、私とはその超越の唯一無二の証明なのである。この意味において、内的超越と創造の唯一の目的とは、この私なのであり、私が私に成ることなのである。「存在の世界」に私の目的や目標がないのは、私が存在する一者ではないからである。つまり私が存在しないからである。それゆえ問題なのは私が存在する意味ではなく生成それ自体（私自身）の質なのである。

＊　＊　＊

私が思い描く「何物自体」としての円や三角形が、存在を超えて生成した「もの」であるならば、この生成した「もの」とは、「存在の世界」にはない「もの」なのだ。そしてこの生成する「もの」が、存在を超えて「意識の形」へと生成した「もの」であるならば、意識の形へと生成した「もの」とは、物質世界の創造物ではなく、世界を知覚する理性の創造物だといえるのである。

私が知覚する椅子や机といった「何物」とは、無意味な世界に投棄され、生成のプロセスにおいて無から遠ざかろうとする、その「プロセスを生きる手段」として、理性が創造した「もの」なのである。それゆえ、「何物」とは物質世界にない「もの」なのである。

私とは理性が無を超越し、無意味の地平から遠ざかろうとする。「存在から生成」へのプロセスを生きる者なのである。それゆえ、私が生きる生成の時間とは、存在から自由な時であり、「生きる」とは本質的に創造的なことなのである。この意味において、創造力（想像力）豊かに生きることは、一つの「良き生き方」だといえるのである。

旅は続く それが人生だ

物が運動する外的時間を生きる存在者ではない私は、知覚世界から立ち上がる生成のプロセスにおいて、意味を求め無（物）から遠ざかり、内的時間を旅する旅人である。

人生はよく旅に例えられる、私たちは確かに存在から生成へのプロセスを旅する一人の旅人なのである。この旅は未来への旅ではない、また死後の世界へと続く旅でもない。知覚の今現在において意味を求め無（物）から遠ざかる、超越的な旅である。個としての旅人は、知覚世界の終わりとともに、その旅を終える。しかし、生成のプロセス自体は多元論的に展開されるがゆえに、この旅は終わらない。

私にかわって旅を続ける旅人が、私と同じように「人生はいったい何のために……」「生きることに何の意味が……」と無への問いを発するとき、私は何と言ってその旅人を励ますだろうか……。

私ならその旅人に言うだろう、人生をそのように問うことこそが、あなたが意味を求め無から遠ざかる生成のプロセスを生きていることの何よりの証明なのだと、それが人生なのだと。

あとがき

人間とは「哲学する動物」だというのが、私の基本的な人間観です。一度限りの自分の人生を、「食べ、眠り、排泄するだけの人生」だと思っている人はいないでしょう。私たち人間は、食べ、眠り、排泄すること以上の何かを人生に求める、「哲学する動物」なのです。そしてこの何かを求めて人生を歩む旅人なのです。

「何のために……」という問いを発しながら、事実以上のことを求める、それが私たち「哲学する動物」にとっての「生きる」ということなのです。それゆえ、「食べ」、「眠り」、「排泄し」、そして「死ぬ」という事実が人生を導くのではなく、生き方を規定する「考え方」が人生を導くのです。

私にとって哲学するとは、やがて死ぬという「死の事実」と向き合いながら、存在の意味を探究し、思考の可能性を追及することに他なりません。つまり哲学するとは「考えること」なのです。考えることで自由になることなのです。それゆえ哲学は難しいのです。思考の形が見えるまで、考え続けることが難しいのです。さらに哲学自体は、出世や金儲けといった外的動機とは無関係の無益なことです。しかし、だからこそ哲学はそれをやり続ける人が少数でも、哲学する動物である我々に開放されているのであり、自由を愛する人々のものなのです。

私たちが哲学する動物であるがゆえに、哲学の火は、人生のどんな状況からでも、どんな環境からでも「何のために……」という問いと共に立ち上がり、人生を導くのです。本書はそのことの証明なのです。この本は私の人生における「なぜだ……」「何のために……」という内なる叫びに呼応する形で生まれたものなのです。

本書の出版にご協力いただいた文芸社の皆様に心からお礼を申し上げます。

ありがとうございました。

二〇二三年新春の日

根津康彦

【参考文献】

○W・ペンフィールド著、塚田裕三／山河宏訳『脳と心の正体』（一九八七年 法政大学出版局）
○ジル・ボルト・テイラー著、竹内薫訳『奇跡の脳―脳科学者の脳が壊れたとき―』（二〇一二年 新潮社）
○アンリ・ベルクソン著、合田正人／松本力訳『物質と記憶』（二〇〇七年 筑摩書房）
○M・メルロ＝ポンティ著、クロード・ルフォール編、中島盛夫監訳『見えるものと見えざるもの』（一九九四年 法政大学出版局）
○ハイデガー著、熊野純彦訳『存在と時間』（二〇一三年 岩波書店）
○マルティン・ハイデッガー著、川原栄峰訳『形而上学入門』（一九九四年 平凡社）
○カント著、篠田英雄訳『純粋理性批判』（一九六一～一九六二年 岩波書店）
○カント著、篠田英雄訳『プロレゴメナ』（一九七七年 岩波書店）
○ヘーゲル著、船山信一訳『精神哲学』（一九六五年 岩波書店）
○エトムント・フッサール著、浜渦辰二／山口一郎監訳『間主観性の現象学　その方法』（二〇一二年 筑摩書房）
○フッサール著、船橋弘訳『デカルト的省察』（二〇一五年 中央公論新社）

○ニーチェ著、原佑訳『権力への意志』〈ニーチェ全集第11・12巻〉（一九八〇年　理想社）
○ジル・ドゥルーズ／フェリックス・ガタリ著、財津理訳『哲学とは何か』（一九九七年 河出書房新社）
○大森荘蔵著『物と心』（二〇一五年 筑摩書房）
○大森荘蔵著『時は流れず』（一九九六年 青土社）
○ロビン・レ・ペドヴィン著、植村恒一郎／島田協子訳『時間と空間をめぐる12の謎』（二〇一二年 岩波書店）
○ジム・ホルト著、寺町朋子訳『世界はなぜ「ある」のか？「究極のなぜ？」を追う哲学の旅』（二〇一六年 早川書房）
○P・C・W・デイヴィス著、戸田盛和訳『宇宙はなぜあるのか―新しい物理学と神―』（一九八五年 岩波書店）
○ウィリアム・ジェイムズ著、伊藤邦武編訳『純粋経験の哲学』（二〇〇四年 岩波書店）
○今道友信著『西洋哲学史』（一九八七年 講談社）

著者プロフィール

根津 康彦（ねづ やすひこ）

1959年、京都府生まれ。
丹波文庫同人として同人誌に詩を発表。
1987年、詩集『焦燥の季節』（艫馬出版）を刊行。
以後、詩の世界から離れ、哲学を志す。
本書『意味と時間　人生は夢か――』は、長年の哲学的思索が結実したものである。
思索の旅は終わらない。

意味と時間 人生は夢か――

2023年７月15日　初版第１刷発行

著　者　根津 康彦
発行者　瓜谷 綱延
発行所　株式会社文芸社
〒160-0022　東京都新宿区新宿1－10－1
電話　03-5369-3060（代表）
03-5369-2299（販売）

印刷所　図書印刷株式会社

ISBN978-4-286-24209-5